OPERATIONS

매스티안

팩토슐레 Math Lv. 3 시리즈 소개

수 (NUMBERS)

[학습목표] 1부터 50까지의 수를 알 수 있습니다.

교재

+

교구를 활용한 APP 학습

도형 (SHAPES)

[학습목표] 다양한 모양의 ○, △, □ 등을 알 수 있습니다.

교재

+

교구를 활용한 APP 학습

연산 (OPERATIONS)

[학습목표] 받아올림이 없는 덧셈과 뺄셈을 할 수 있습니다.

교재

+

교구를 활용한 APP 학습

측정 (MEASUREMENT)

[학습목표] 시계, 무게, 길이, 넓이 등을 알 수 있습니다.

교재

+

교구를 활용한 APP 학습

규칙 (PATTERNS)

[학습목표] 다양한 규칙을 찾을 수 있습니다.

교재

+

교구를 활용한 APP 학습

문제해결력 (PROBLEM SOLVING)

[학습목표] 다양한 유형의 문제를 해결할 수 있습니다.

교재

+

교구를 활용한 APP 학습

팩토슐레 Math Lv. 3 교재 소개

" 우리 아이 첫 수학도 창의력을 키우는 **FACTO**와 함께! "

팩토슐레는 처음 수학을 시작하는 유아를 위한 창의사고력 전문 program입니다.

팩토슐레는 만들기, 게임, 색칠하기, 붙임딱지 붙이기 등의 다양한 수학 활동을 하면서 스스로 수학 개념을 알 수 있도록 구성되어 있습니다.

※팩토슐레는 6권으로 구성되어 있으며, 각 권은 30가지의 재미있는 활동을 수록하고 있습니다.

누리과정

팩토슐레는 누리과정 · 초등수학과정을 연계하여, 수학의 5대 영역(수와 연산, 공간과 도형, 측정, 규칙, 문제해결력)을 균형있게 학습할 수 있도록 하였습니다.
특히 가장 중요한 수와 연산은 각 권으로 구성하여 깊이 있는 학습이 가능하도록 하였습니다.

STEAM PLAY MATH

팩토슐레는 4, 5, 6세 연령별로 학습할 수 있도록 설계한 놀이 수학입니다.
매일매일 놀이하듯 자르고, 붙이고, 색칠하며 재미있는 30가지의 활동을 통해 창의사고력을 기를 수 있습니다.

동화책풍의 친근한 그림

팩토슐레는 동화책풍의 그림들을 수록하여 아이들이 수학을 더욱 친근하게 느끼며 좋아할 수 있도록 하였습니다. 또한 한글을 최소화하고 학습 내용을 직관적으로 이해할 수 있도록 하였습니다.

팩토슐레 Math Lv. 3 교구·App 소개

" 수학 교육 분야 **증강현실**(AR)과 **사물인식**(OR) 기술을 국내 최초 도입 "

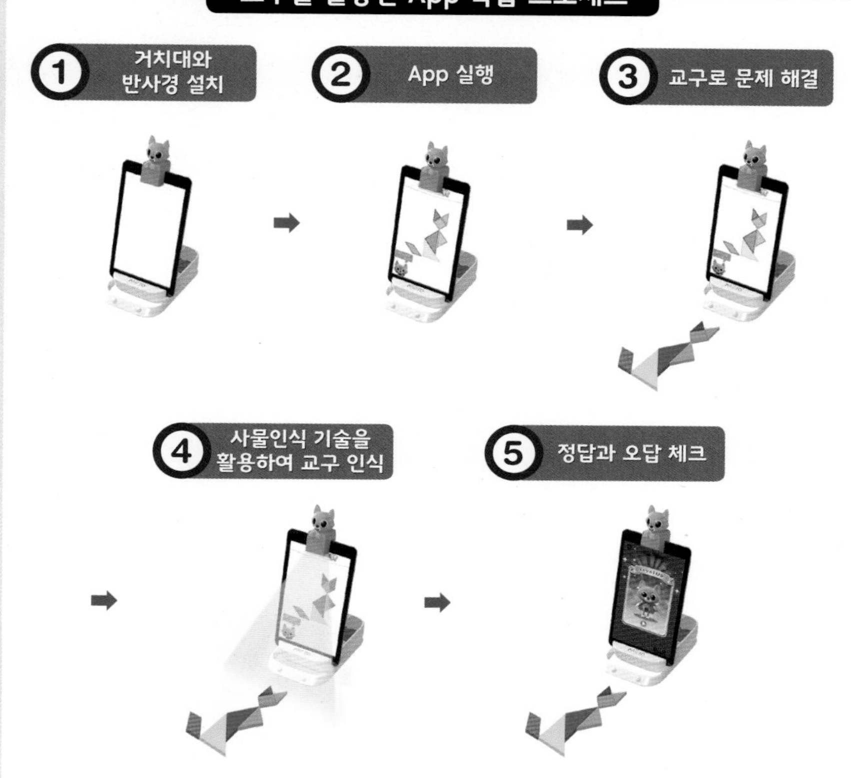

자기주도학습 팩토슐레 App만의 장점

팩토슐레 App은 사물인식(OR) 기술을 사용하여 아이들의 학습 정보를 습득한 후, App에 프로그래밍된 학습도우미를 통하여 아이들이 문제 푸는 것을 힘들어하거나 틀릴 경우에는 힌트를 제공합니다.
이와 같은 방식의 스마트기기와의 상호작용은 학습의 효율을 높이고 자기주도학습 능력을 길러 줍니다.

완벽한 학습 설계 App 다른 교육 App과의 차별점

팩토슐레 App은 수학 교육 목표에 맞게 완벽한 학습 설계가 되어 있습니다. 아이들은 게임 기반의 학습 App을 진행하면서 어려운 문제도 술술 풀 수 있습니다.

증강현실(AR) 기술 도입

팩토슐레 App은 아이들이 캐릭터와 사진도 찍고, 자신이 그린 그림으로 자기만의 쿠키도 만들면서 학습 몰입도를 높일 수 있습니다.

01

코끼리는 **빵 6개**, 여우는 **초콜릿 7개**를 먹으려고 해요. 그런데 각자 **2접시만** 가져갈 수 있대요.
어떤 접시를 가져갈 수 있을지 **여러 가지 방법**으로 선을 그어 알아보세요.

초콜릿 7개 모으기

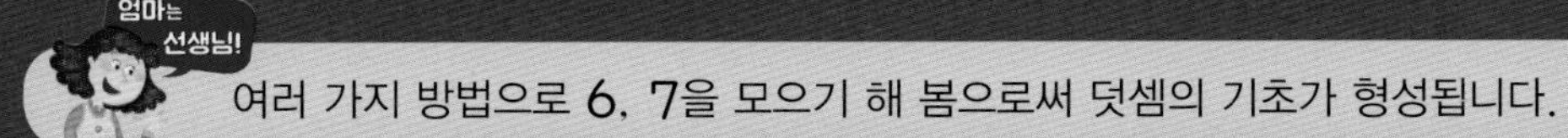

여러 가지 방법으로 6, 7을 모으기 해 봄으로써 덧셈의 기초가 형성됩니다.

02 원숭이는 꽃 8송이, 기린은 꽃 9송이를 사려고 해요. 그런데 각자 **화분 2개**만 살 수 있대요. 어떤 화분을 살 수 있을지 **여러 가지 방법**으로 선을 그어 알아보세요.

꽃 8송이 모으기

꽃 9송이 모으기

엄마는 선생님!

여러 가지 방법으로 8, 9를 모으기 해 봄으로써 덧셈의 기초가 형성됩니다.

03

농장에 닭과 병아리가 어디 있을까요? **달걀 모으기 게임**을 하며 닭과 병아리 활동지를 붙여 농장을 꾸며 보세요.

① 달걀 주사위 2개를 굴려 에 놓습니다.

예

② 주사위에 나온 달걀 수만큼 달걀판에 달걀을 놓으면서 세어 봅니다.

예

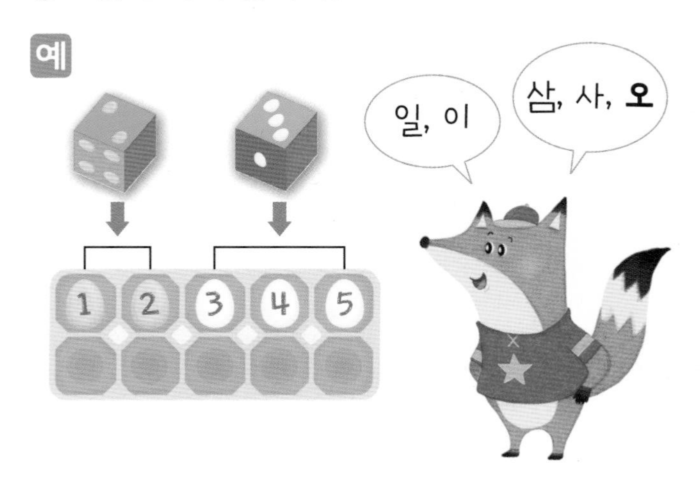

③ 놓은 달걀이 모두 몇 개인지 말합니다.

예

④ 맞으면 닭 또는 병아리 붙임딱지 1장을 붙여 농장을 꾸밉니다.

예

엄마는 선생님!

두 수를 이어 세는 과정에서 자연스럽게 덧셈의 기초가 되는 모으기의 원리를 알 수 있습니다.

04

친구들이 과수원에 왔어요. 각자의 나무에서 과일을 모두 따서 두 바구니에 나누어 담았어요.

빈 바구니에 알맞게 과일을 붙여 보세요. 붙임딱지 ①

여러 가지 방법으로 6, 7을 두 수로 가르기 해 봄으로써 뺄셈의 기초가 형성됩니다.

05 친구들이 요리사에게 쿠키를 모두 나누어 받았어요. 빈 접시에 알맞게 쿠키를 붙여 보세요.

붙임딱지 1

여러 가지 방법으로 8, 9를 두 수로 가르기 해 봄으로써 뺄셈의 기초가 형성됩니다.

06 농장에 닭과 병아리가 어디 있을까요? 달걀 가르기 게임을 하며 닭과 병아리 활동지를 붙여 농장을 꾸며 보세요.

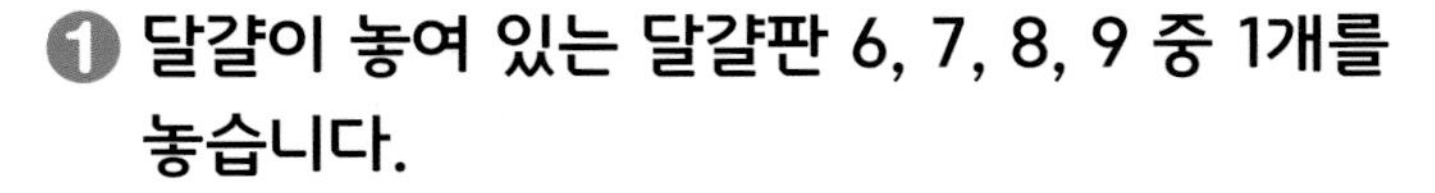

❶ 달걀이 놓여 있는 달걀판 6, 7, 8, 9 중 1개를 놓습니다.

예 <달걀판 6을 놓은 경우>

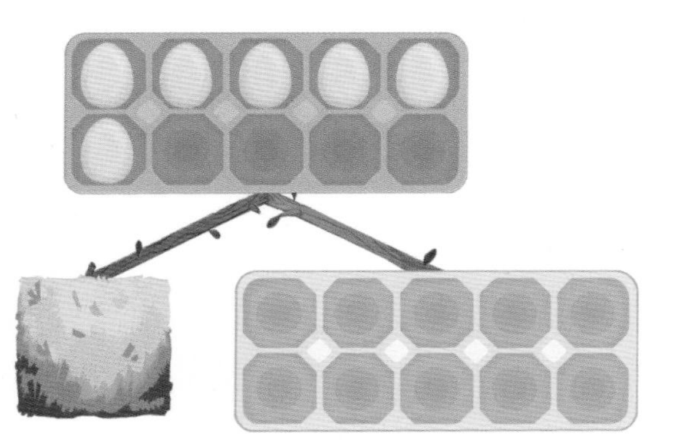

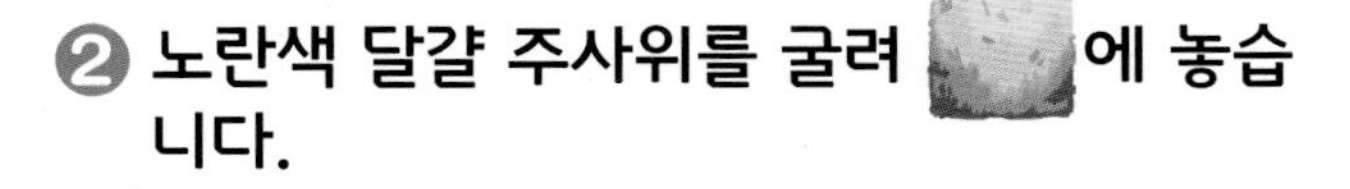

❷ 노란색 달걀 주사위를 굴려  에 놓습니다.

예

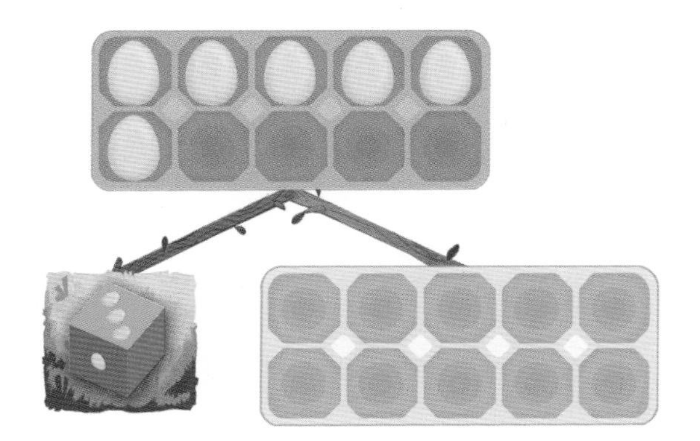

❸ 달걀판에 놓여 있는 달걀을 가르기 하여 빈 달걀판에 알맞게 달걀을 놓습니다.

예

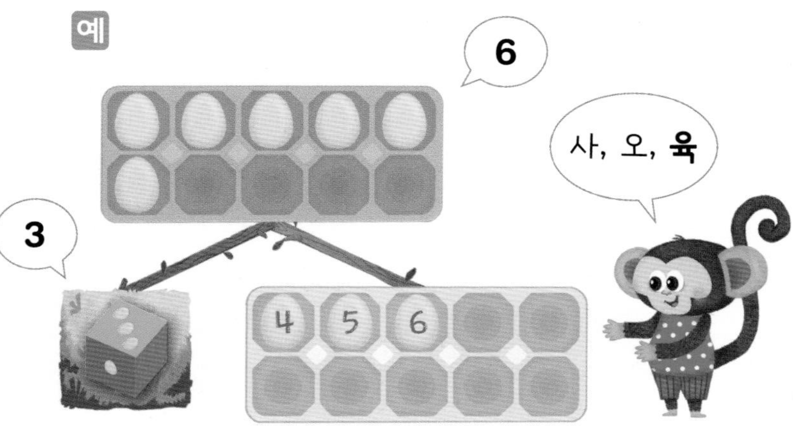

❹ 맞으면 닭 또는 병아리 붙임딱지 1장을 붙여 농장을 꾸밉니다.

예

❺ 달걀판 6, 7, 8, 9 중 다른 것도 놓고 ❶~❹와 같은 방법으로 활동을 해 봅니다.

달걀판 6, 7, 8, 9 중 1개를 놓으세요.

주사위
놓는 곳

엄마는 선생님!

6, 7, 8, 9를 두 수로 가르는 과정에서 뺄셈의 기초가 되는 가르기의 원리를 알 수 있습니다.

07

풀밭에 옹기종기 모여 모이를 먹는 병아리도 보이고, 즐겁게 뛰어 노는 강아지도 보이네요.
새, 꽃, 병아리, 강아지, 감, 오리의 수를 각각 세어 보세요.

새 : ☐ 마리 꽃 : ☐ 송이 병아리 : ☐ 마리

강아지 : ☐ 마리 감 : ☐ 개 오리 : ☐ 마리

엄마는
선생님!
그림을 보고 각각의 수를 센 후 같은 개체끼리 모으기를 할 수 있습니다.

물고기를 잡으려고 해요. 마주 보는 두 수를 모아 8 또는 9를 만들어 물고기를 잡아 보세요.

여러 가지 방법으로 두 수를 모아 8, 9를 만드는 과정을 통해 덧셈의 기초가 형성됩니다.

코알라와 곰이 퀴즈를 풀고 있네요. 이웃하는 두 수의 합이 7 또는 8인 곳을 찾는 문제예요.
두 친구와 함께 풀어 볼까요?

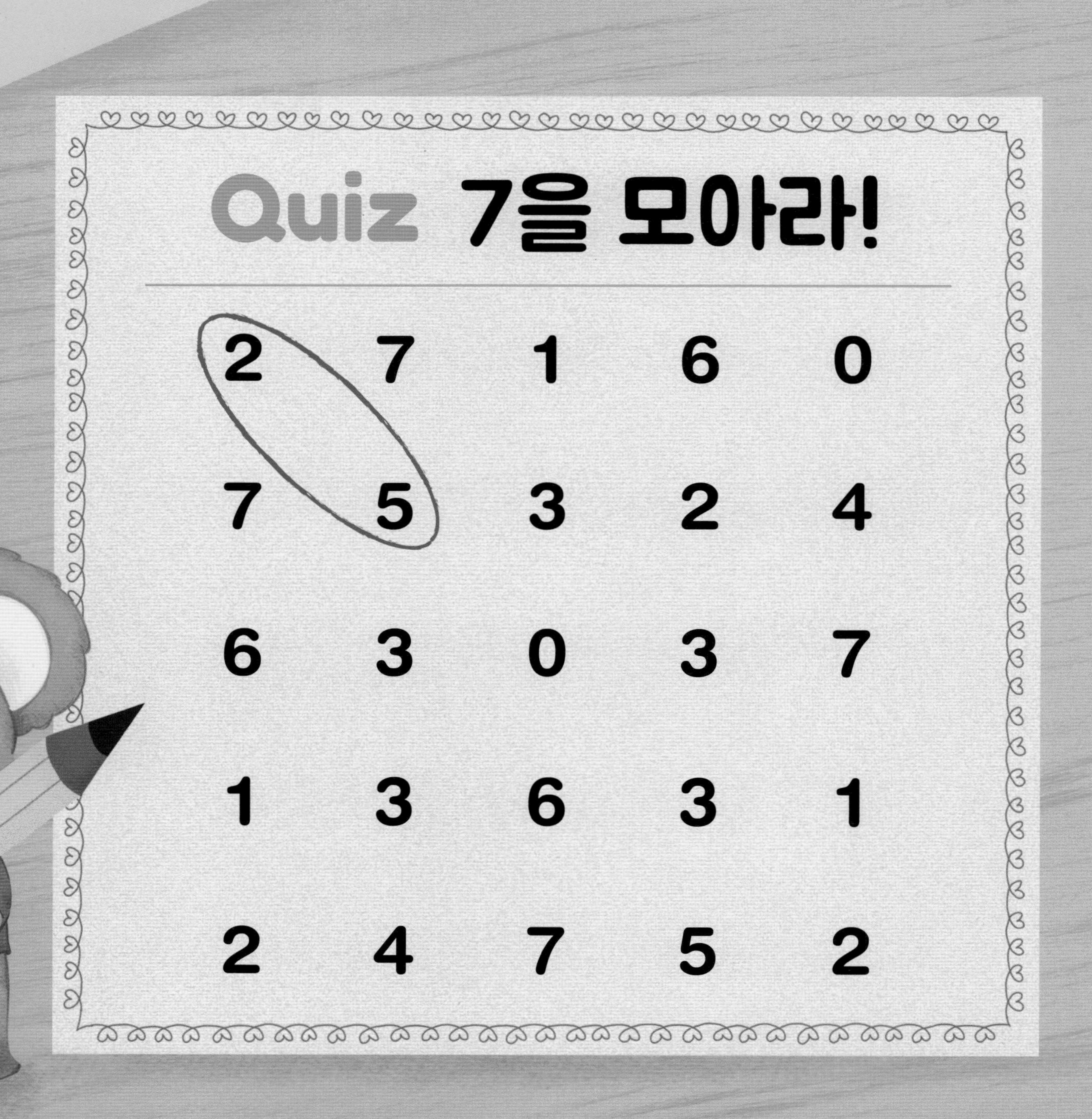

Quiz 8을 모아라!

1	7	2	0	5
2	3	7	4	4
0	4	5	5	2
6	1	8	7	6
2	8	1	8	3

엄마는 선생님!

7은 1과 6, 2와 5, 3과 4로, 8은 1과 7, 2와 6, 3과 5, 4와 4로 분해하거나 합성할 수 있는 것을 알 수 있습니다.

10

잎 위에 무당벌레 여러 마리가 있어요. 무당벌레 등에 있는 수는 **점의 개수**를 나타내요. 점을 붙여 무당벌레를 완성하고, 나만의 무당벌레를 만들어 보세요. 활동지 ❷

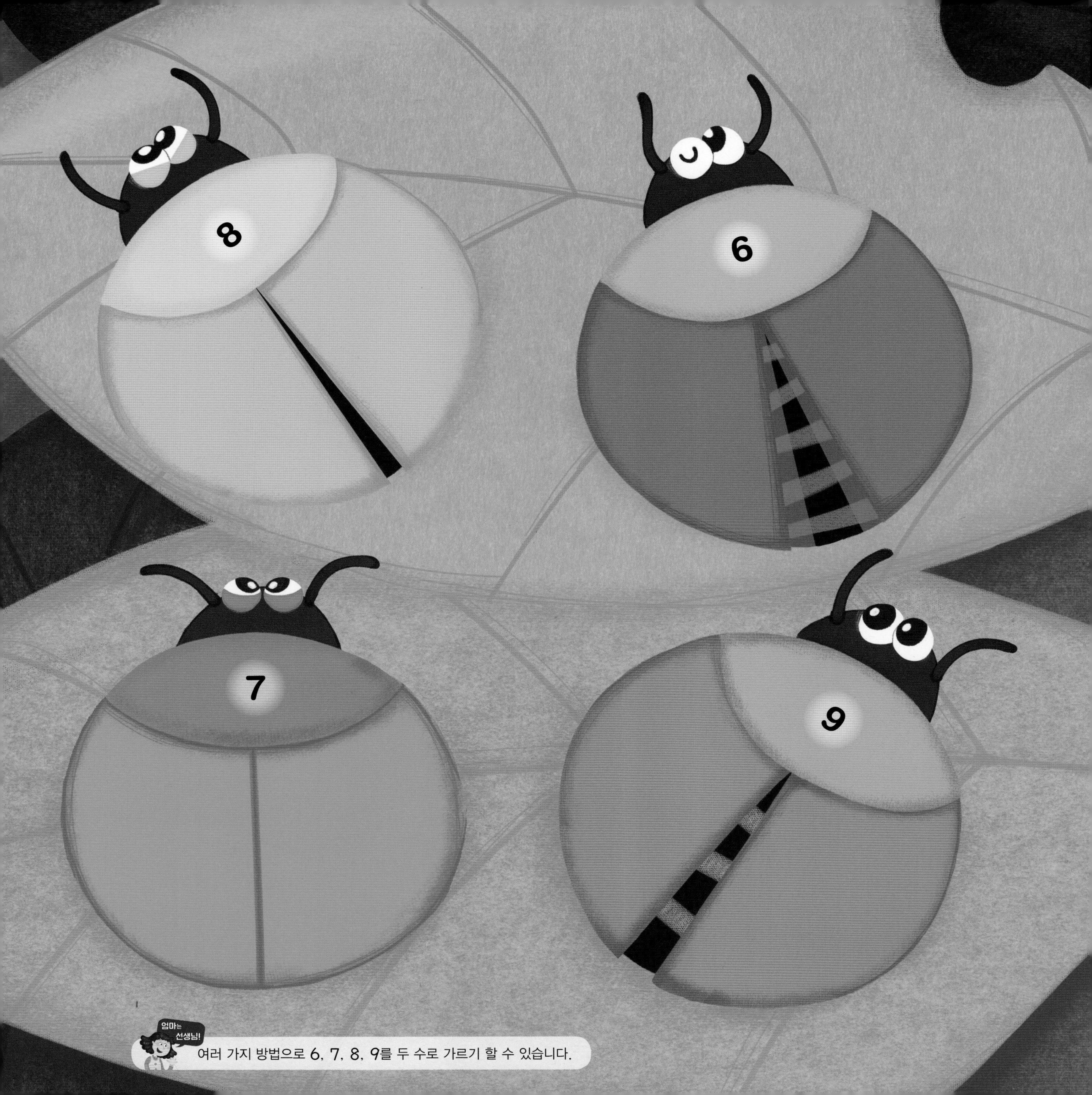
8
6
7
9
엄마는 선생님!
여러 가지 방법으로 6, 7, 8, 9를 두 수로 가르기 할 수 있습니다.

11

곰과 원숭이는 도미노 다리를 건너 친구네 집에 가려고 해요. 도미노끼리 **맞닿는 부분의 점의 개수가 7, 8이 되도록** 도미노를 놓아 다리를 완성해 보세요. 활동지 ②

8
8
8
8
8
8
8
8
8
6
2
엄마는 선생님!
여러 가지 방법으로 모으기를 하여 7, 8을 만들 수 있습니다.

12 이웃한 두 수로 7, 8, 9, 10 만들기를 해 보세요.

Let's play! 활동지 ③ ④

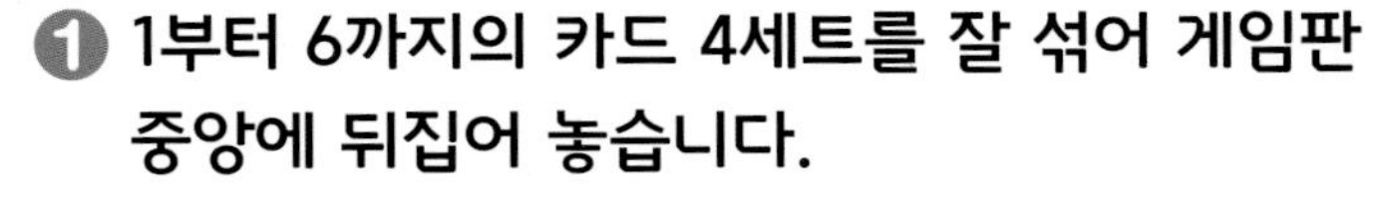

① 1부터 6까지의 카드 4세트를 잘 섞어 게임판 중앙에 뒤집어 놓습니다.

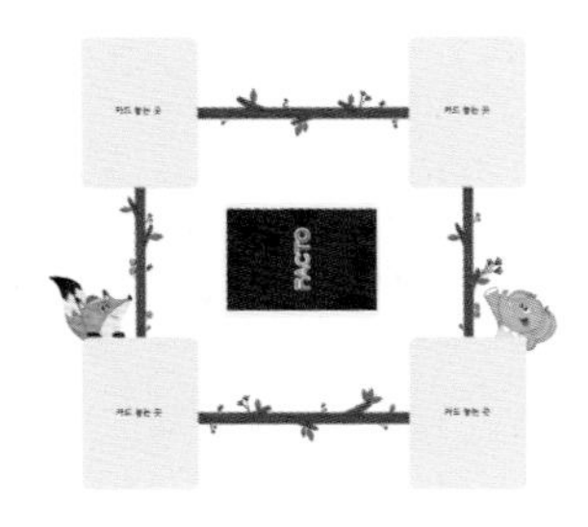

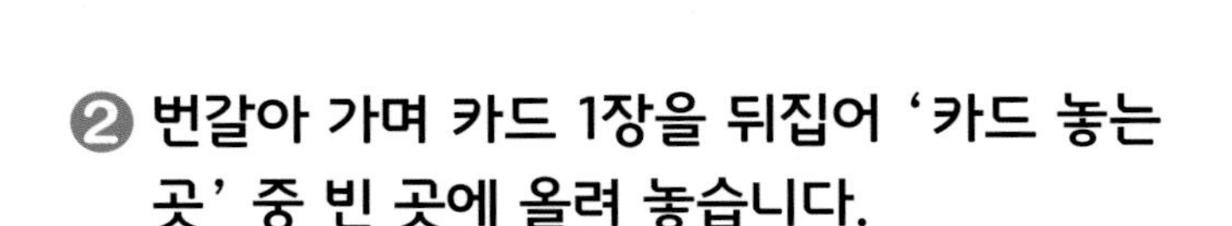

② 번갈아 가며 카드 1장을 뒤집어 '카드 놓는 곳' 중 빈 곳에 올려 놓습니다.

예1 예2

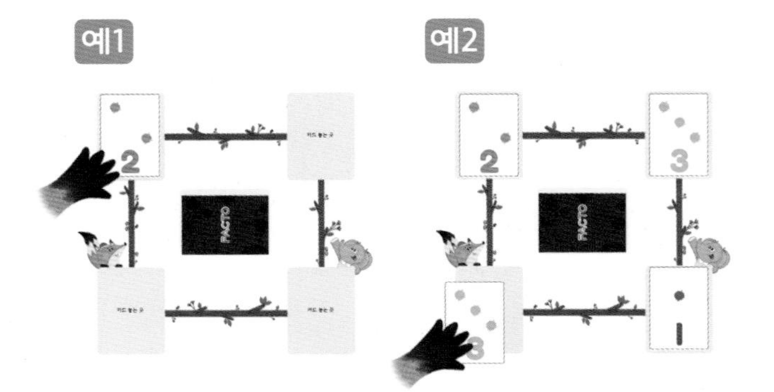

③ 만약 '카드 놓는 곳'중 빈 곳이 없을 때에는 이미 놓여진 카드 위에 올려 놓습니다.

예

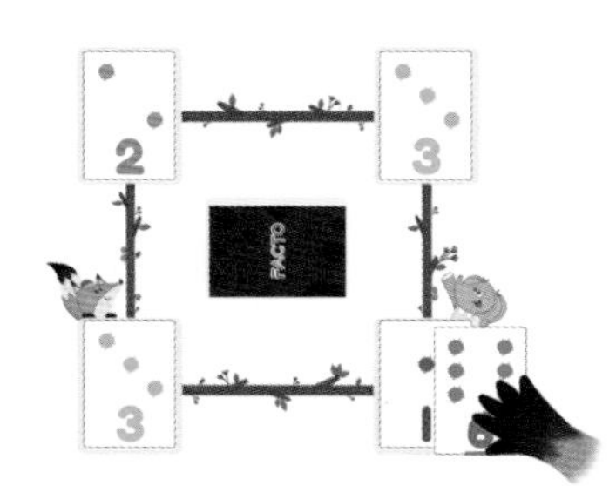

④ 이웃한 두 수를 모아서 7이 되면 덧셈식을 외치면서 그 아래에 쌓여 있던 카드까지 모두 가져옵니다.

예1 1곳이 합이 7

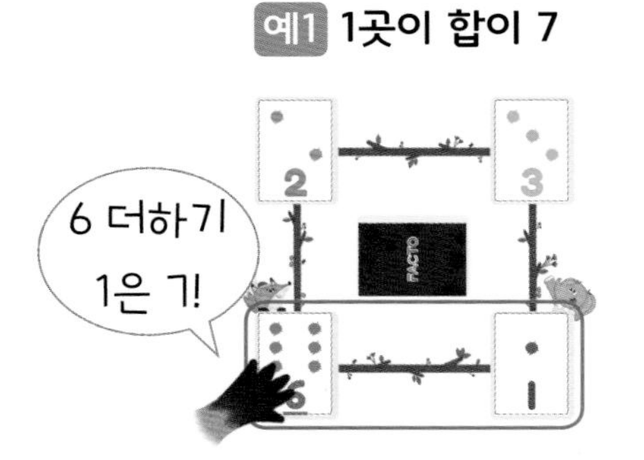

예2 2곳이 합이 7

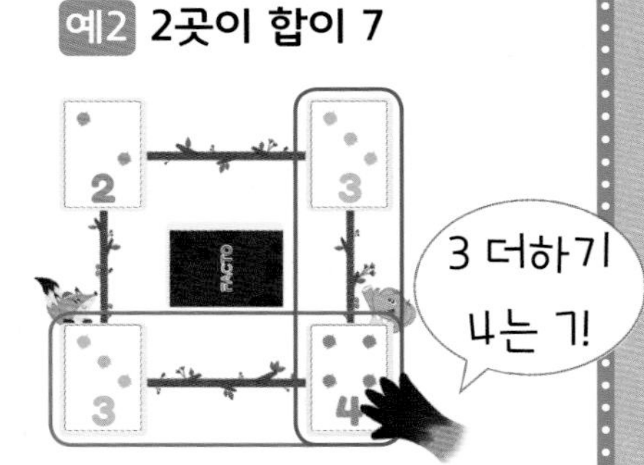

⑤ 더 이상 가져올 카드가 없을 때 놀이가 끝나고 더 많은 카드를 가져온 사람이 이깁니다.

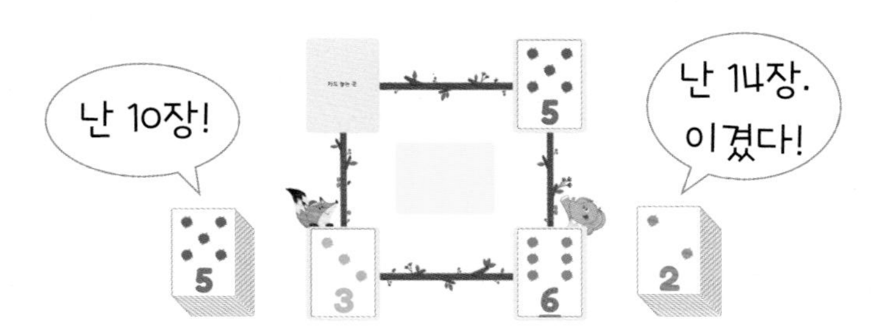

⑥ 7 만들기 놀이를 한 후 8, 9, 10 만들기 놀이도 해 봅니다.

- 8 만들기 놀이 : 1~7까지의 숫자 카드 (4세트)를 사용합니다.
- 9 만들기 놀이 : 1~8까지의 숫자 카드 (4세트)를 사용합니다.
- 10 만들기 놀이 : 1~9까지의 숫자 카드 (4세트)를 사용합니다.

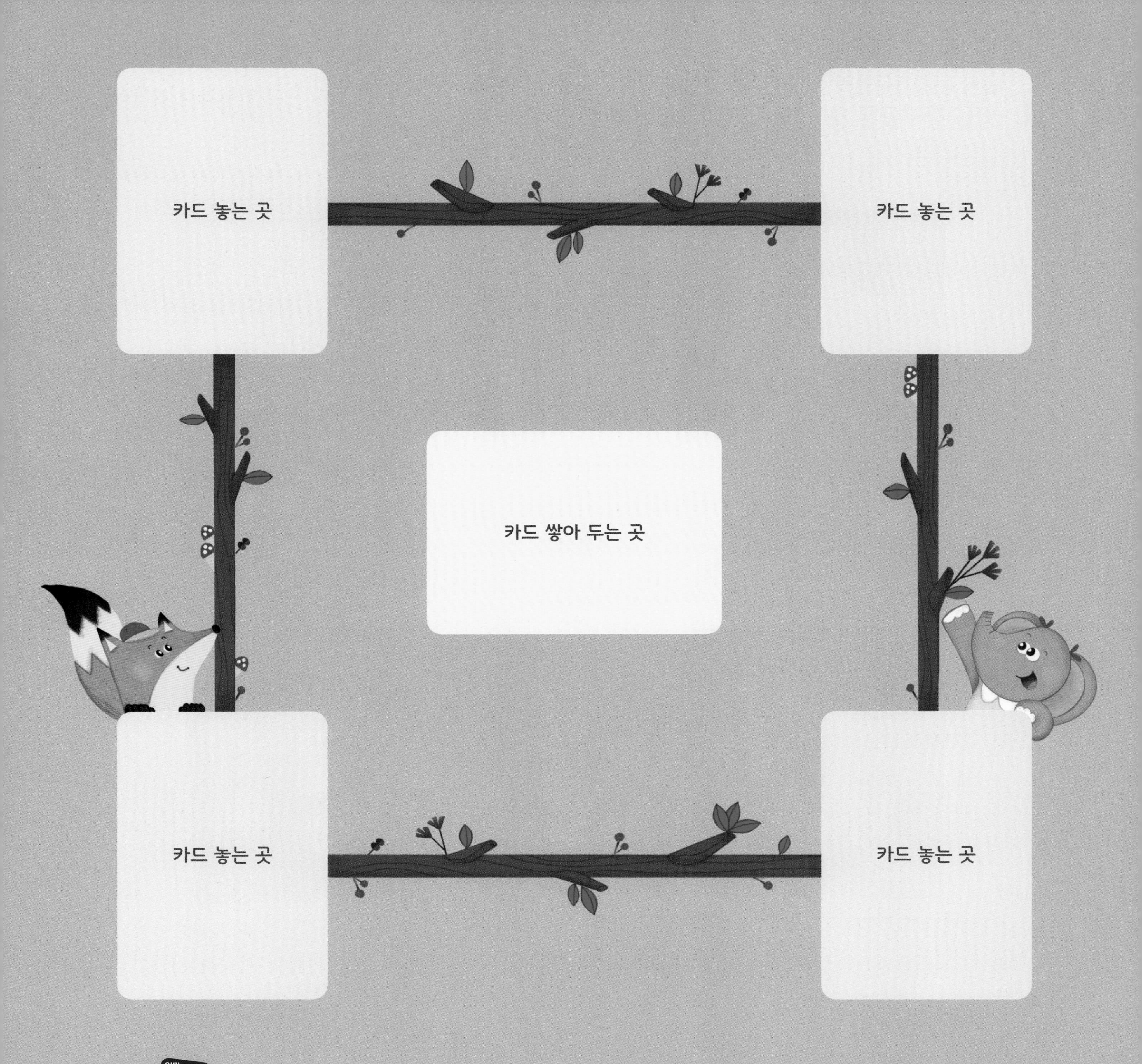

엄마는 선생님!

카드 놀이를 통하여 다양한 방법으로 7, 8, 9, 10 모으기를 할 수 있습니다.

곰이 동물 친구들의 사진을 찍고 있는데 다른 친구들이 더 와서 다시 사진을 찍었네요.

동물 친구들은 모두 몇 마리가 되었는지 알아보세요. 붙임딱지 ①

2+3=

2+4=

4+3=

4+4=

엄마는 선생님!

그림을 보고 덧셈 이야기를 해 보고, 이를 구체물로 나타내는 활동을 통해 덧셈의 원리를 이해할 수 있습니다.

달걀을 바구니에 담으려고 해요. 덧셈식에 맞게 달걀을 색칠하고, 바구니에 담은 달걀은 모두 몇 개인지 알아보세요.

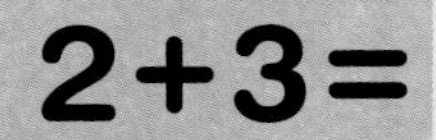

$2+3=$ ☐

$4+2=$ ☐

$3+4=$ ☐

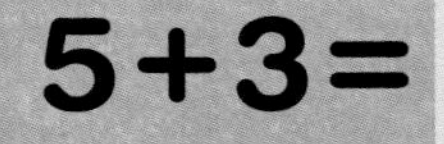

$5+3=$ ☐

$2+4=$ ☐

$5+2=$ ☐

$4+4=$ ☐

$6+3=$ ☐

엄마는 선생님! 덧셈 상황을 이해하고 색칠하는 활동을 통하여 덧셈을 할 수 있습니다.

15

친구들이 손가락 세기 놀이를 하고 있어요. 덧셈식에 맞게 손가락을 놓고, 펼친 손가락은 모두 몇 개인지 알아보세요. 활동지 5

$5+3=$ □

$2+4=$ □

$3+2=$ □

$4+3=$ □

$1+4=$ ☐

$2+5=$ ☐

$3+3=$ ☐

$5+4=$ ☐

엄마는 선생님!

손가락을 이어 세는 활동을 통하여 덧셈을 익숙하게 할 수 있습니다.

친구들이 놀이동산에서 예쁜 풍선을 하나씩 샀어요. 앗! 그런데 그만 풍선줄이 끊어져 버렸네요.

덧셈을 계산한 값을 구하여 친구들의 풍선을 찾아줄까요?

그림의 상황을 이해하고 해결하는 과정에서 다양한 덧셈을 할 수 있습니다.

17

옷 가게의 물건에 쓰인 덧셈을 **계산한 값**을 친구들의 모자, 옷, 가방에서 찾아 두 물건이 **같은 색**이 되도록 색칠해 보세요.

엄마는 선생님!

색칠하기를 통해 학습의 재미를 높이고 덧셈을 익숙하게 할 수 있습니다.

친구들 방의 창문에 덧셈이 쓰여 있어요. 덧셈을 계산한 값과 같은 수가 쓰인 활동지를 찾아 어떤 그림인지 알아보세요. 활동지 ②

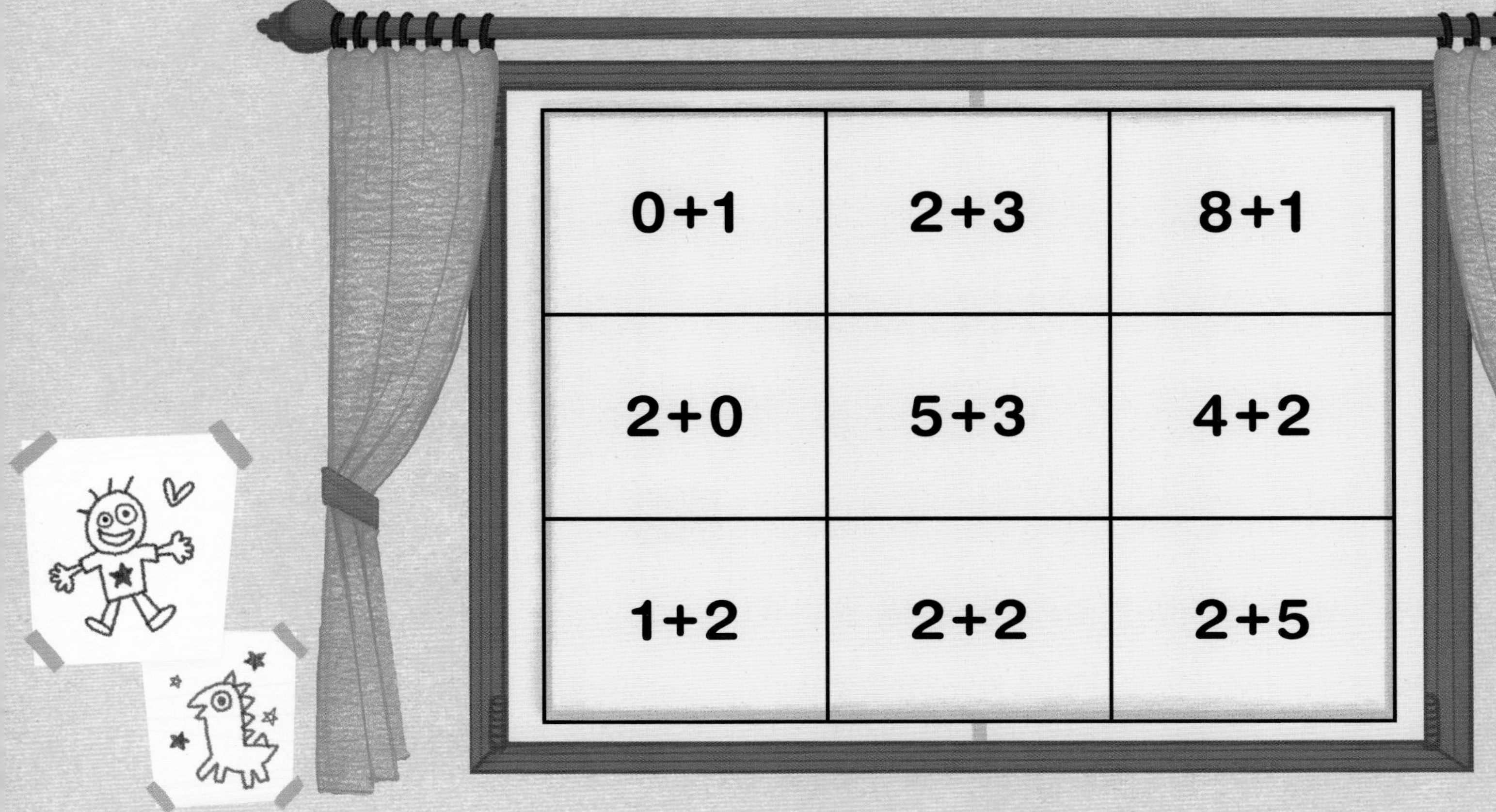

엄마는 선생님!

여러 가지 덧셈식을 풀며 그림을 완성해 가는 활동을 통해 덧셈을 익숙하게 할 수 있습니다.

19 덧셈식 만들기 놀이를 해 보세요.

❶ 카드를 각자 6장씩 나누어 가진 후
남은 카드는 한 곳에 쌓아 놓습니다.

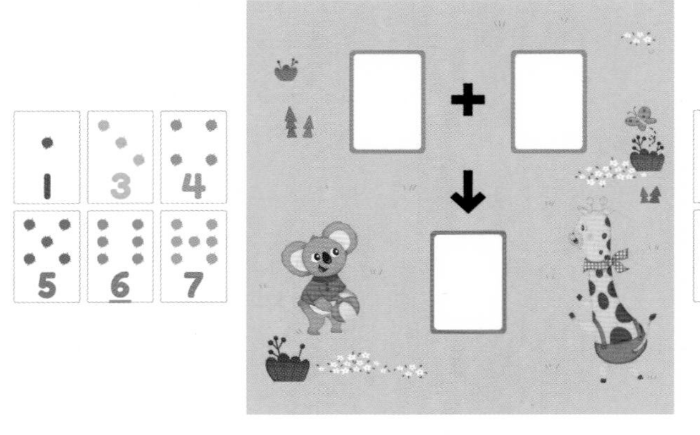

❷ 서로 번갈아 가며 ☐에 자신의 카드를 놓으며 덧셈식을 말합니다.

예

<자신의 카드 3장을 놓아 덧셈식을 만든 경우>

2 더하기 6은 8!

<자신의 카드 2장을 놓아 덧셈식을 만든 경우>

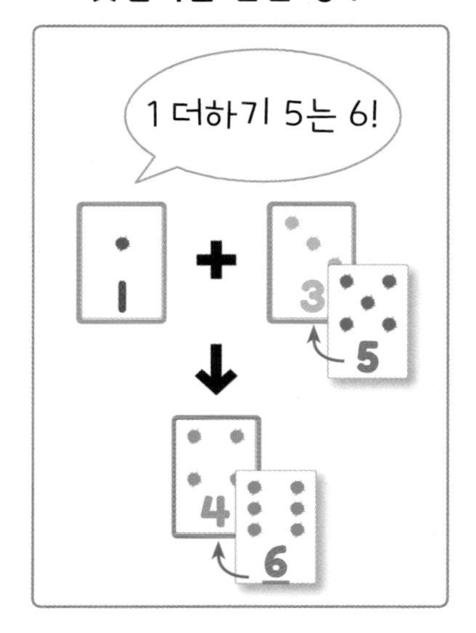

<자신의 카드 1장만 놓아 덧셈식을 만든 경우>

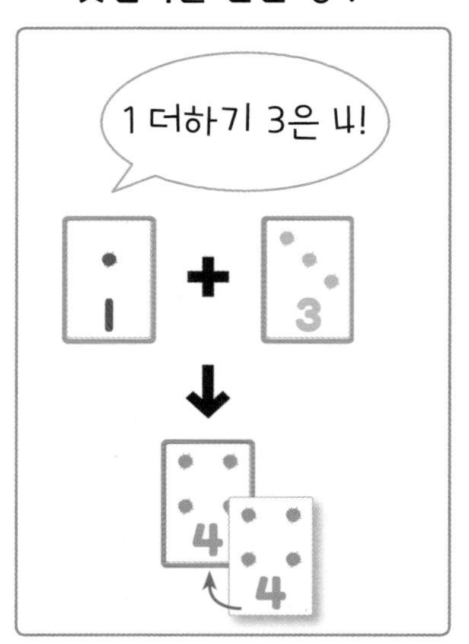

❸ ☐에 내려놓을 카드가 없을 경우에는
카드 더미에서 카드 1장을 가져옵니다.

❹ 먼저 자신의 카드를 모두 내려놓은 사람이
이깁니다.

지금까지 덧셈에 대해 배운 것을 놀이를 통해 재미있게 익히도록 합니다.

20 친구들이 식사를 하고 있어요. 친구들이 먹은 음식에 붙임딱지를 붙여 남은 음식의 수를 알아보세요. 붙임딱지 1

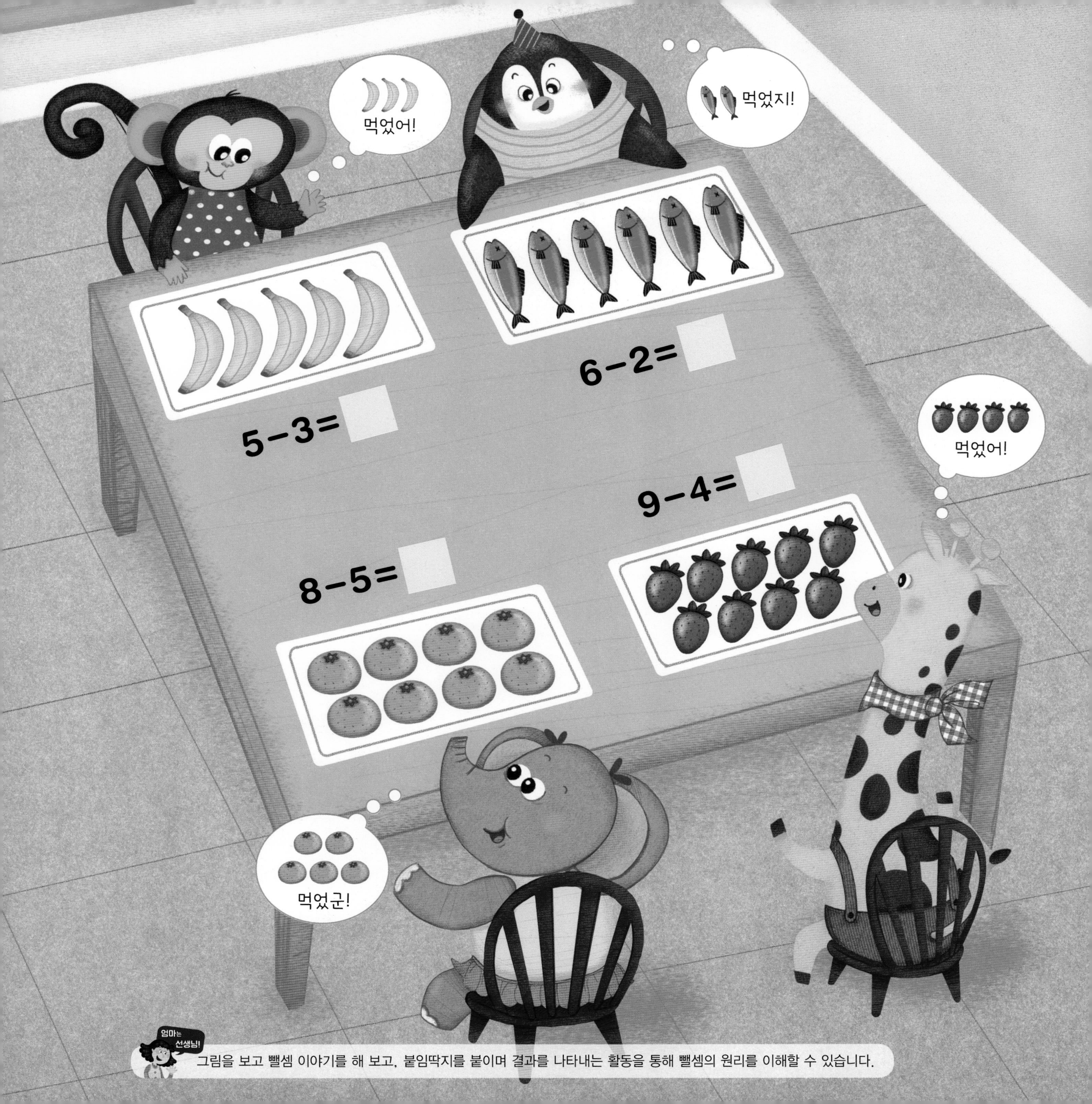

그림을 보고 뺄셈 이야기를 해 보고, 붙임딱지를 붙이며 결과를 나타내는 활동을 통해 뺄셈의 원리를 이해할 수 있습니다.

21

간식 시간이에요. 각자 좋아하는 과자를 맛있게 먹었어요. 친구들이 먹은 **과자 수만큼 /로 지우고 남은 개수**를 알아보세요.

를 먹었어!
만큼
먹었지!
먹었어!
난
만큼
먹었어!
7−4=
6−3=
9−5=
8−6=
엄마는
선생님!
뺄셈 상황을 이해하고 '／' 를 그어 제거하는 활동을 통해 뺄셈을 익힐 수 있습니다.

22

친구들이 놀이터에서 구슬 놀이를 하고 있어요. 두 친구가 가지고 있는 구슬에 선을 그어 **누가 더 많이** 가지고 있는지 알아보세요.

5-2= ☐

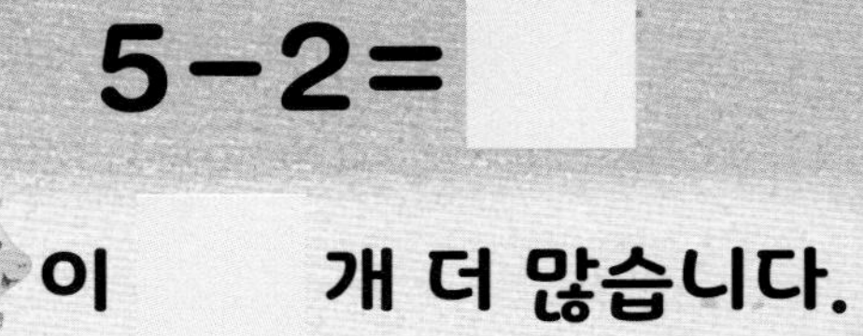

이 ☐ 개 더 많습니다.

4-3= ☐

이 ☐ 개 더 많습니다.

6-4= ☐

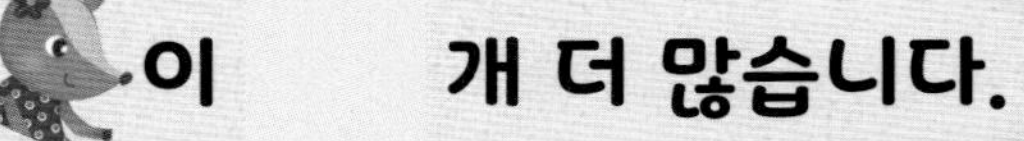

이 ☐ 개 더 많습니다.

$6-3=$ ☐

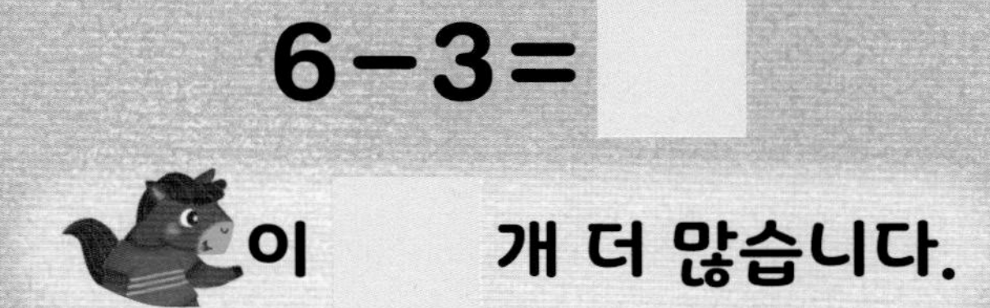

이 ☐ 개 더 많습니다.

$8-6=$ ☐

가 ☐ 개 더 많습니다.

$7-4=$ ☐

가 ☐ 개 더 많습니다.

뺄셈 상황을 이해하고 짝을 지어 비교하는 활동을 통해 뺄셈을 익힐 수 있습니다.

23

여우와 코끼리가 꽃밭에서 놀고 있어요. 화살표를 따라 계산하고 계산한 값의 **순서대로 점을 이어** 그림을 완성해 보세요.

시작 ➡ 9−3 ➡ 9−7 ➡ 8−4 ➡ 3−3 ➡ 8−1
➡ 7−6 ➡ 6−3 ➡ 6−1 ➡ 끝

시작 ➡ 7−2 ➡ 8−6 ➡ 9−1 ➡ 6−2 ➡ 7−4
➡ 5−4 ➡ 9−0 ➡ 7−1 ➡ 9−2 ➡ 끝

여러 가지 뺄셈식을 풀며 그림을 완성해 가는 활동을 통해 뺄셈을 익숙하게 할 수 있습니다.

24

자동차 공장에서 고장 난 자동차를 고치려고 해요. **빨셈을 계산한 값**이 쓰인 바퀴를 찾아 알맞게 조각을 붙여 자동차를 완성해 보세요. 활동지 ⑤

7−1

6

4

5−1

8−2

8−4

7−3

7−1

9−3

계산한 값이 3, 4, 5, 6이 되는 다양한 뺄셈식이 있다는 것을 알 수 있습니다.

25 친구들이 공원에서 연을 날리고 있어요. 뺄셈을 계산한 값에 알맞은 색깔을 찾아 연을 색칠해 보세요.

7	6	3	1	5	2	4

여러 가지 뺄셈식을 풀며 그림을 색칠하는 활동을 통해 뺄셈을 익숙하게 할 수 있습니다.

26 뺄셈식 만들기 놀이를 해 보세요.

Let's play! 활동지 ③ ④

❶ 카드를 각자 6장씩 나누어 가진 후 남은 카드는 한 곳에 쌓아 놓습니다.

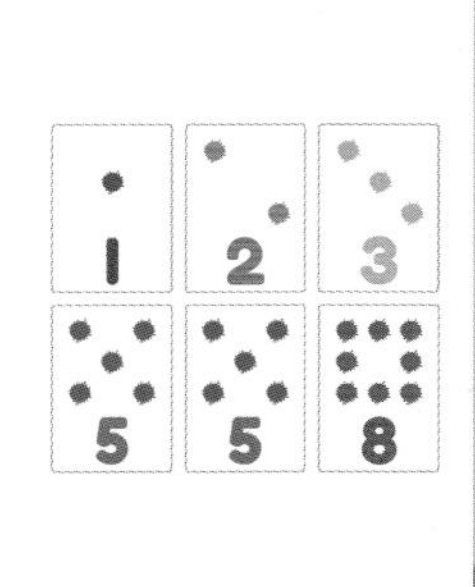

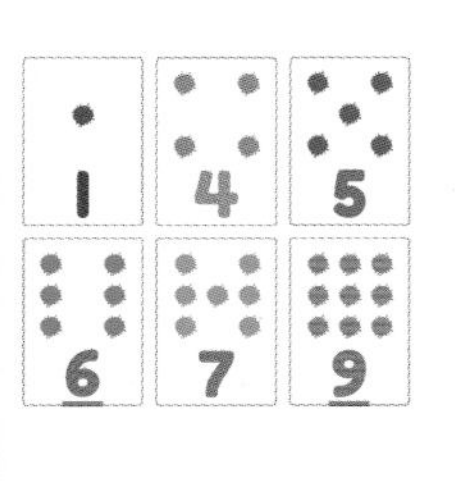

❷ 서로 번갈아 가며 ☐에 자신의 카드를 놓으며 뺄셈식을 말합니다.

예 <자신의 카드 3장을 놓아 뺄셈식을 만든 경우>

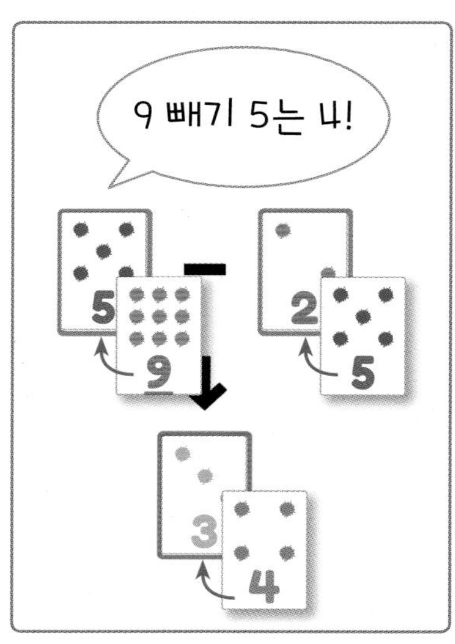

<자신의 카드 2장을 놓아 뺄셈식을 만든 경우>

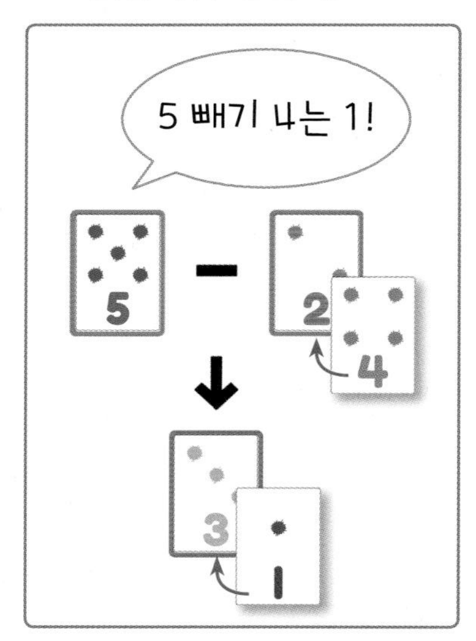

<자신의 카드 1장만 놓아 뺄셈식을 만든 경우>

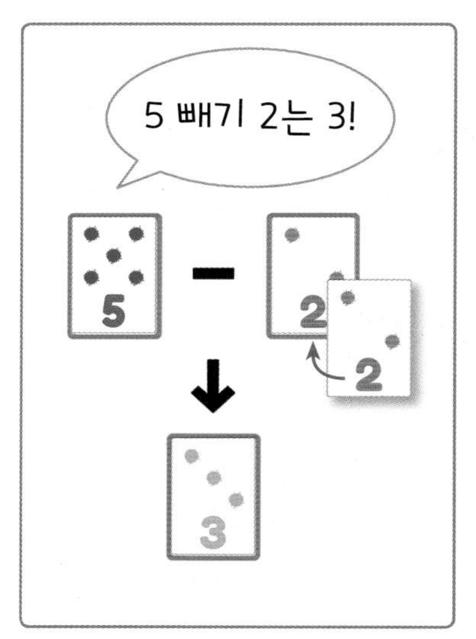

❸ ☐에 내려놓을 카드가 없을 경우에는 카드 더미에서 카드 1장을 가져옵니다.

❹ 먼저 자신의 카드를 모두 내려놓은 사람이 이깁니다.

카드 놓는 곳
카드 놓는 곳
카드 놓는 곳
엄마는 선생님!
지금까지 뺄셈에 대해 배운 것을 놀이를 통해 재미있게 익히도록 합니다.

27

여우는 **덧셈 또는 뺄셈을 계산한 값**이 쓰인 길을 따라 친구를 만나러 가려고 해요.
어떤 친구를 만나러 갈지 선을 그어 알아보세요.

2+4 =6　2　6−5　6　3+4　3

6　3　4

4−3　1　3+6　8　7−1

7　9　1

2+3　4　5−2　3　6+2　8

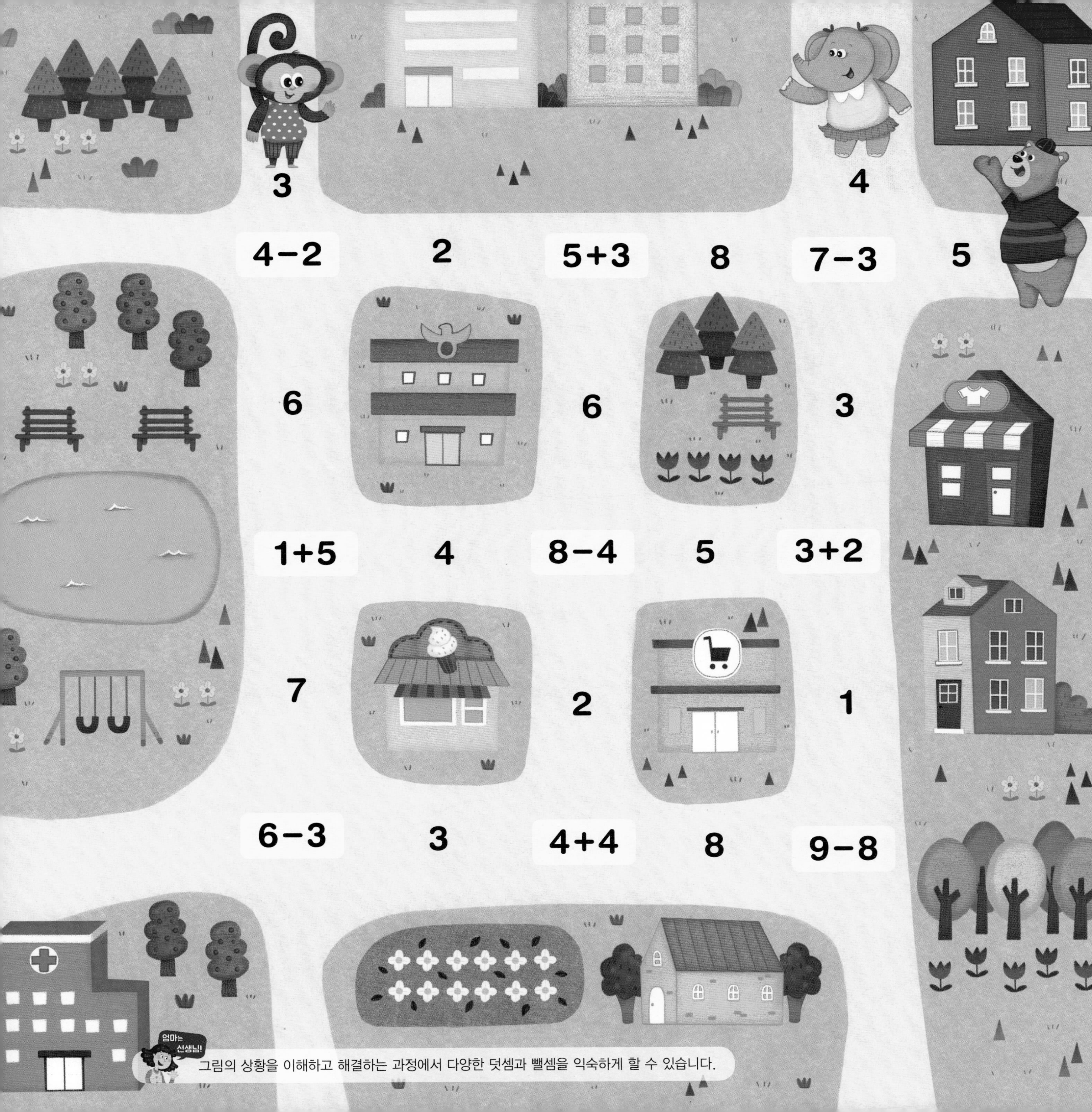
3
4
4−2
2
5+3
8
7−3
5
6
6
3
1+5
4
8−4
5
3+2
7
2
1
6−3
3
4+4
8
9−8
엄마는 선생님!
그림의 상황을 이해하고 해결하는 과정에서 다양한 덧셈과 뺄셈을 익숙하게 할 수 있습니다.

28

곰과 코끼리가 그림을 그리고 있어요. 팔레트에서 **덧셈 또는 뺄셈을 한 값**의 색깔을 찾아 알맞게 색칠하여 그림을 완성해 보세요.

엄마는 선생님!

여러 가지 덧셈식과 뺄셈식을 풀며 그림을 완성해 가는 활동을 통해 덧셈과 뺄셈을 익숙하게 할 수 있습니다.

29

친구들이 망원경으로 우주선을 보고 있네요. 우주선에 덧셈과 뺄셈이 쓰여 있어요. **계산한 값과 같은 수**가 쓰인 활동지를 **붙여 우주선을 완성**해 보세요. 활동지 6

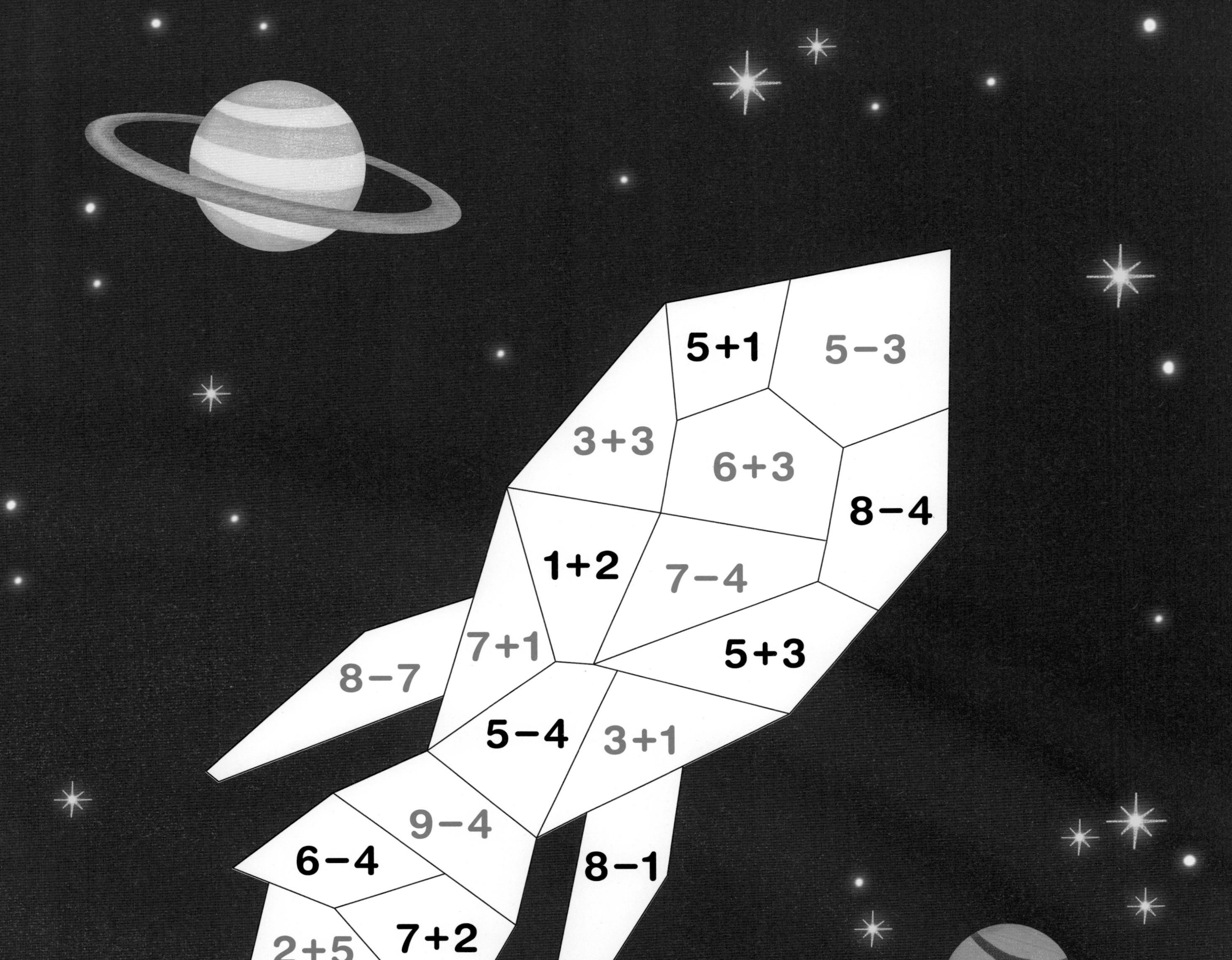

엄마는 선생님!

여러 가지 덧셈식과 뺄셈식을 풀며 우주선을 완성해 가는 활동을 통해 덧셈과 뺄셈을 익숙하게 할 수 있습니다.

30 주사위 2개를 굴려 나온 수를 **더한 값**과 **뺀 값**을 카드에서 찾아 ◯표 하세요.

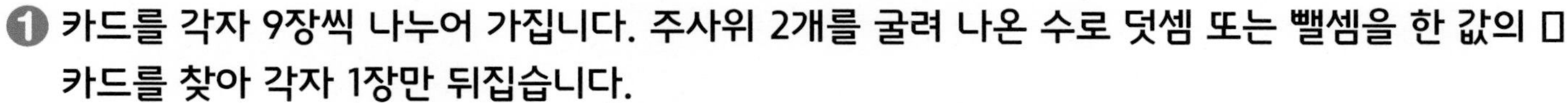

❶ 카드를 각자 9장씩 나누어 가집니다. 주사위 2개를 굴려 나온 수로 덧셈 또는 뺄셈을 한 값의 □ 카드를 찾아 각자 1장만 뒤집습니다.

예

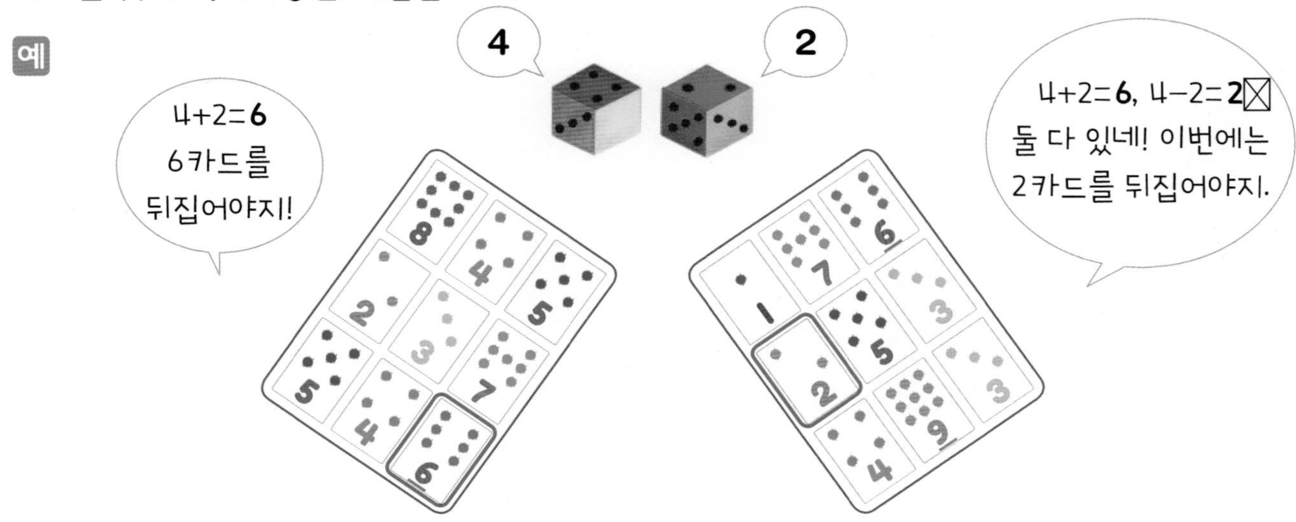

❷ 덧셈과 뺄셈을 한 값이 없을 경우에는 카드를 뒤집을 수 없습니다.

예

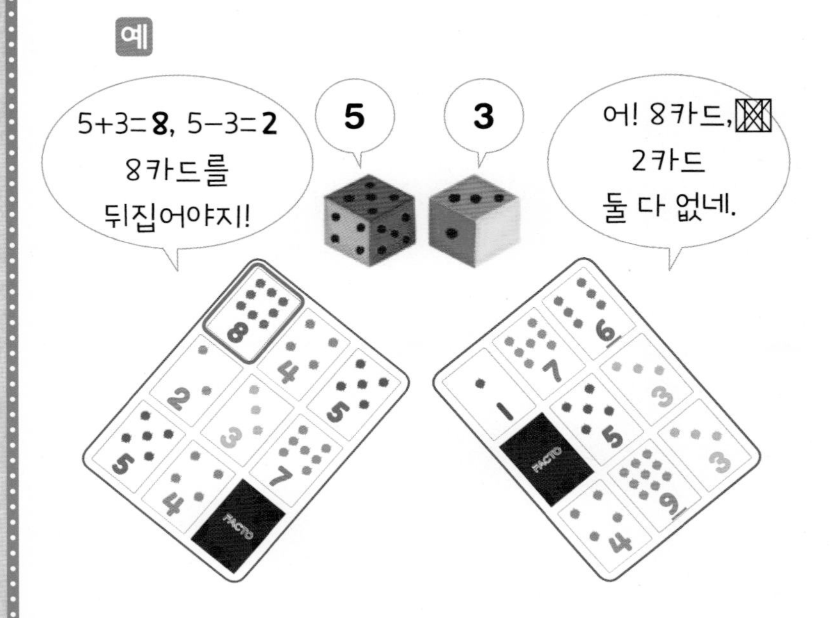

❸ 뒤집은 카드가 가로, 세로, 대각선으로 한 줄이 만들어지면 먼저 "팩토"라고 외치는 사람이 승리합니다.

예1 가로로 한 줄이 만들어졌을 경우

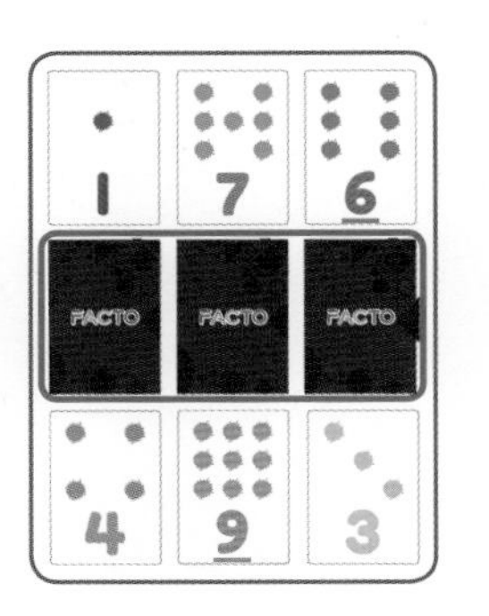

예2 대각선으로 한 줄이 만들어졌을 경우

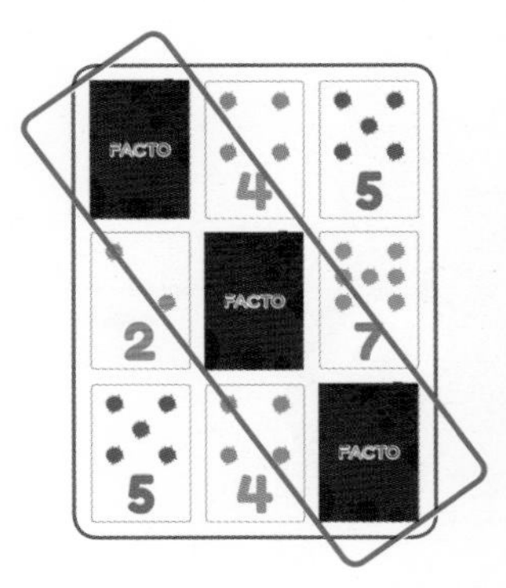

엄마는 선생님!

덧셈과 뺄셈을 한 후 전략을 세워 알맞은 계산 값을 선택하는 놀이를 하며 덧셈과 뺄셈을 익숙하게 할 수 있습니다.

MEMO

연산

팩토슐레 Math Lv.3

이름:

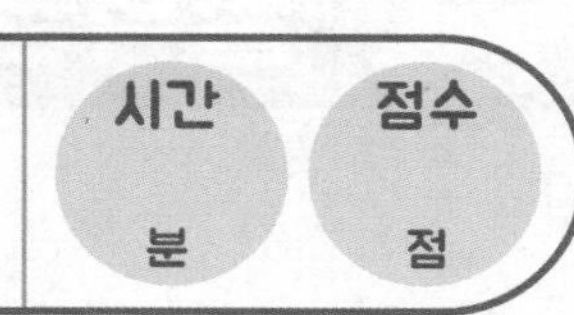

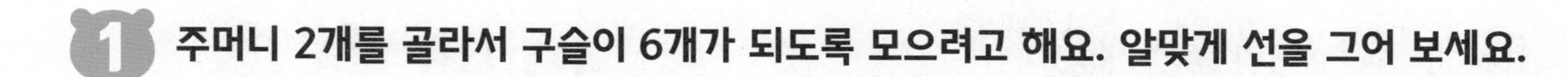

1 주머니 2개를 골라서 구슬이 6개가 되도록 모으려고 해요. 알맞게 선을 그어 보세요.

2 ○를 그리며 주어진 수를 두 수로 가르기 해 보세요.

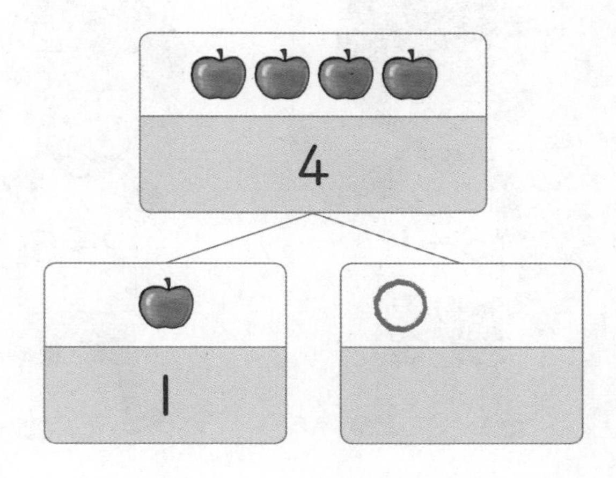

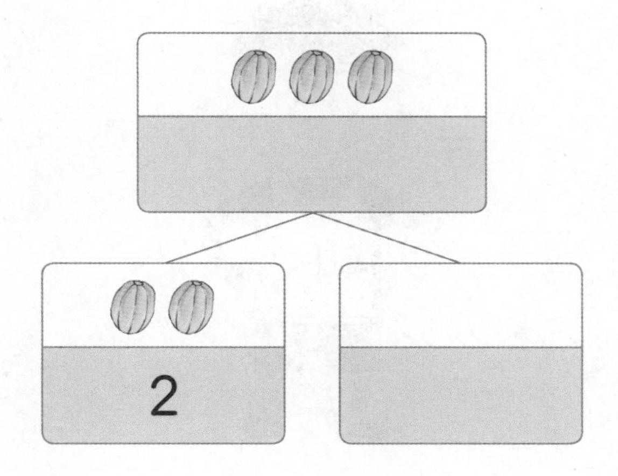

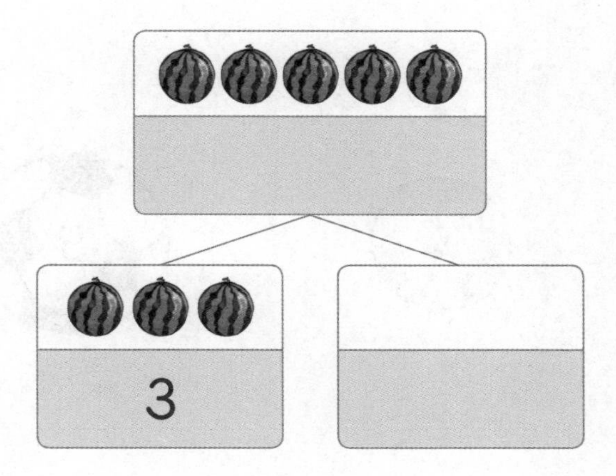

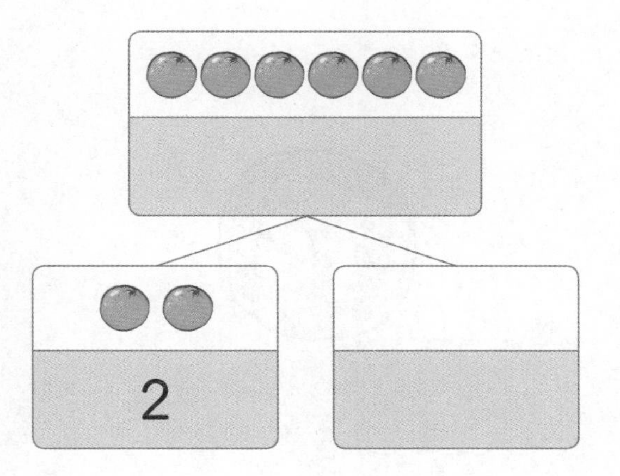

3 달걀을 알맞게 색칠하며 덧셈을 해 보세요.

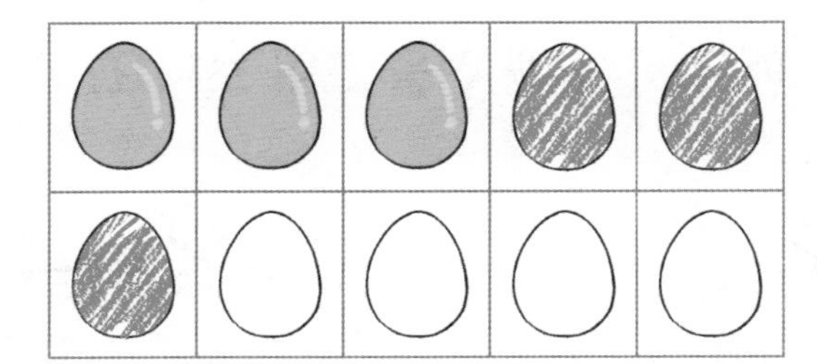

3＋3＝

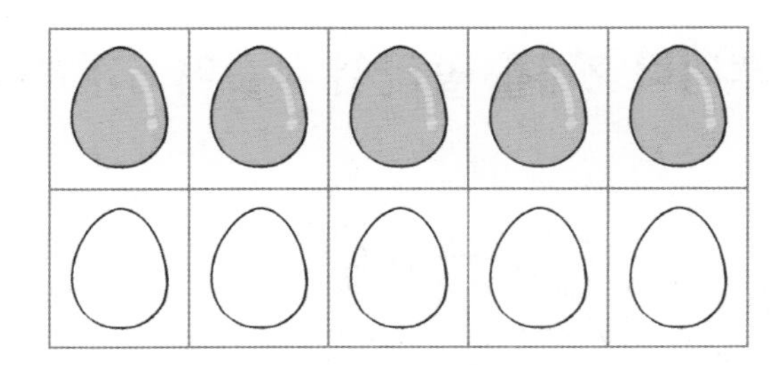

5＋2＝

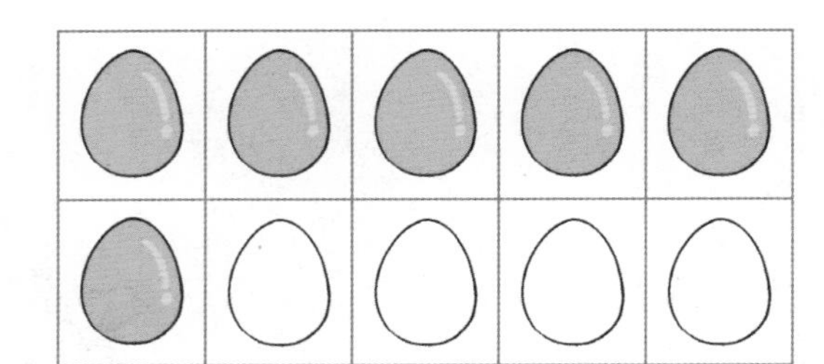

6＋3＝

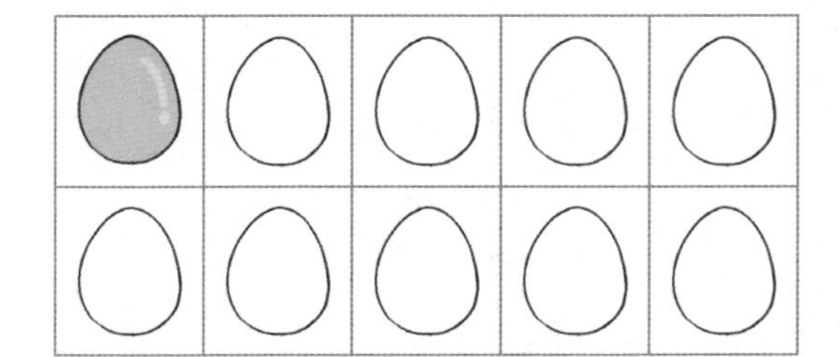

1＋7＝

4 어떤 친구의 공인지 알맞게 선을 그어 알아보세요.

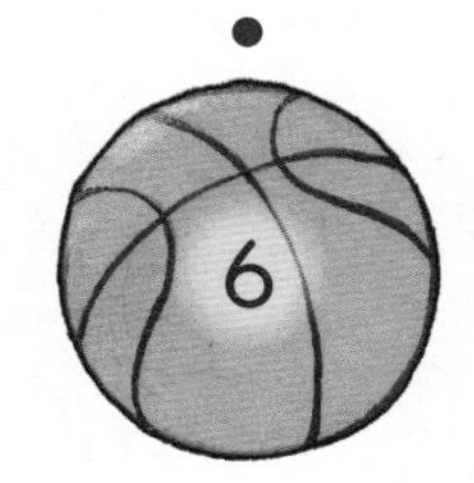

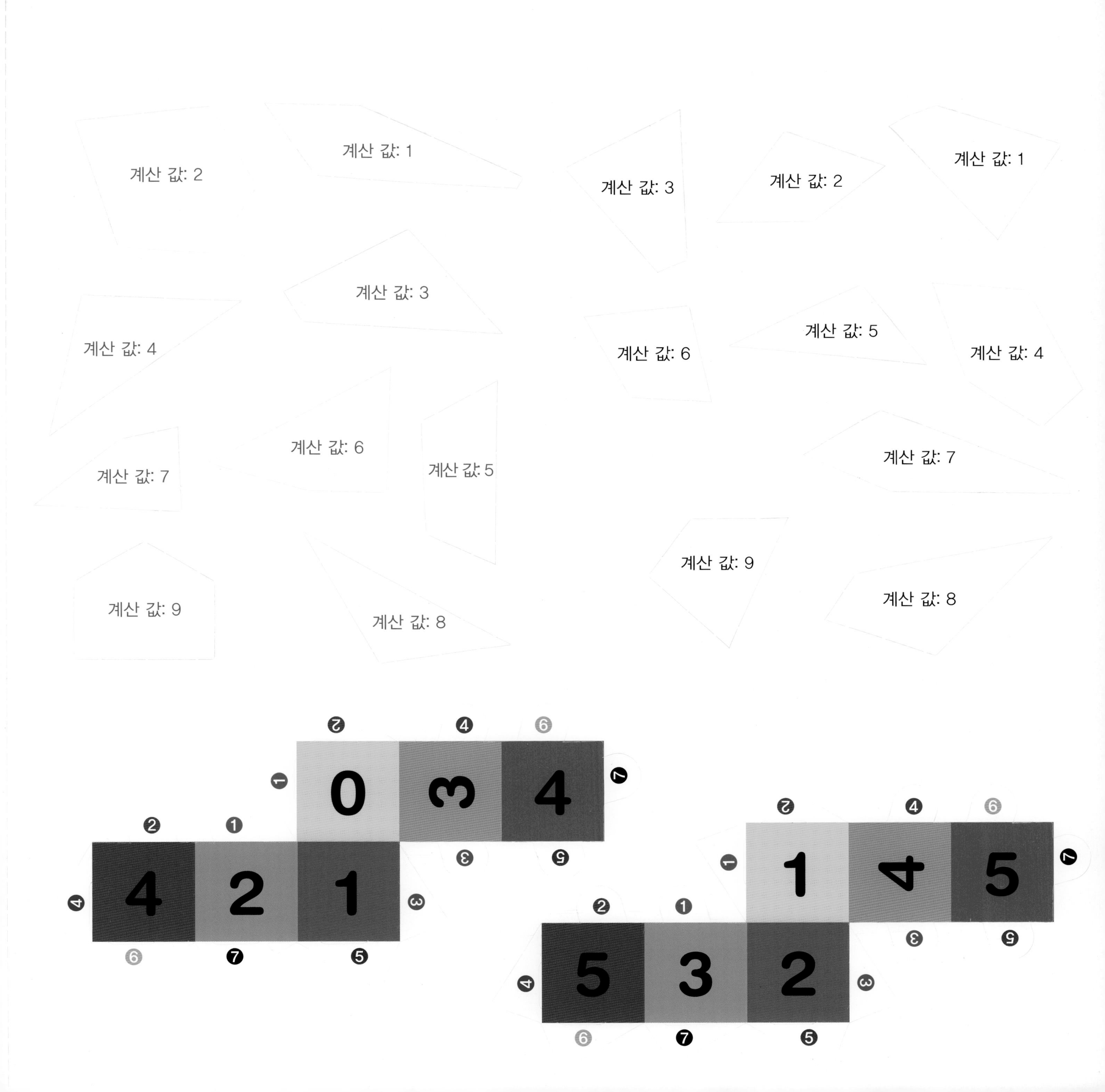
계산 값: 2
계산 값: 1
계산 값: 3
계산 값: 2
계산 값: 1
계산 값: 3
계산 값: 4
계산 값: 6
계산 값: 5
계산 값: 4
계산 값: 6
계산 값: 7
계산 값: 5
계산 값: 7
계산 값: 9
계산 값: 9
계산 값: 8
계산 값: 8
0
3
4
4
2
1
1
4
5
5
3
2

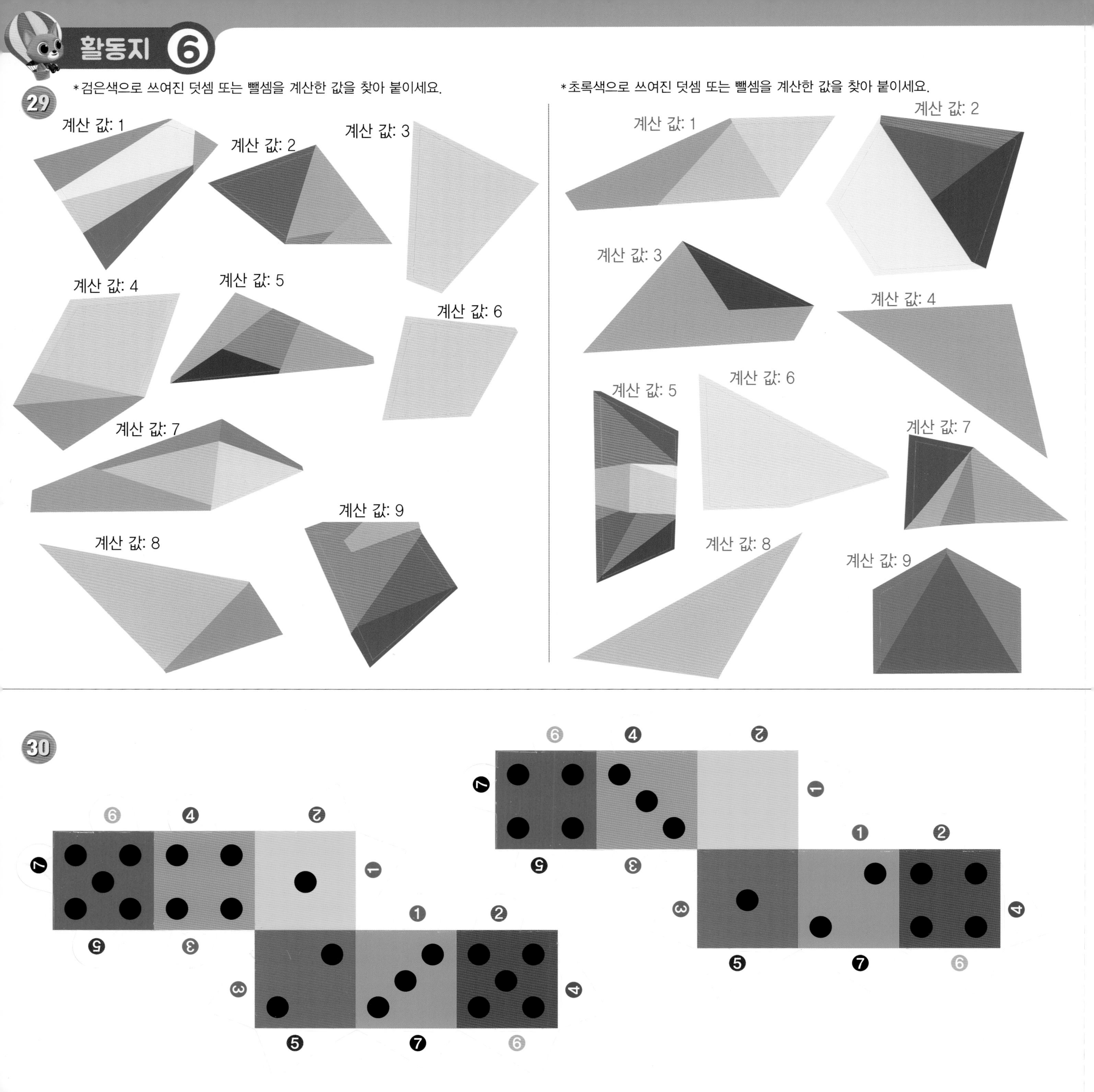
활동지 6
29
*검은색으로 쓰여진 덧셈 또는 뺄셈을 계산한 값을 찾아 붙이세요.
계산 값: 1
계산 값: 2
계산 값: 3
계산 값: 4
계산 값: 5
계산 값: 6
계산 값: 7
계산 값: 8
계산 값: 9
*초록색으로 쓰여진 덧셈 또는 뺄셈을 계산한 값을 찾아 붙이세요.
계산 값: 1
계산 값: 2
계산 값: 3
계산 값: 4
계산 값: 5
계산 값: 6
계산 값: 7
계산 값: 8
계산 값: 9
30

활동지 5

15

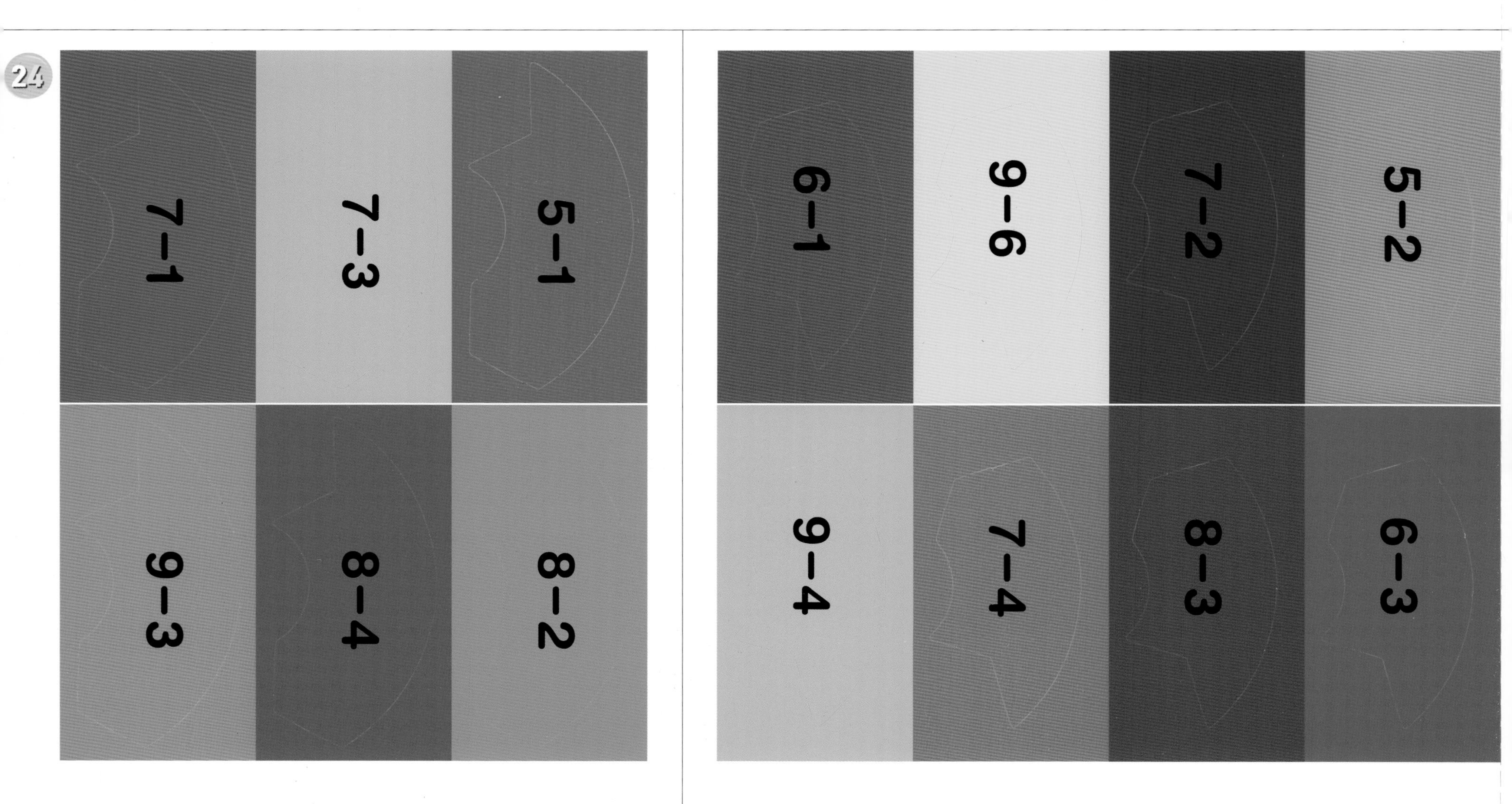
24
7-1
7-3
5-1
9-3
8-4
8-2
6-1
9-6
7-2
5-2
9-4
7-4
8-3
6-3

FACTO

FACTO
FACTO
FACTO
FACTO
FACTO
FACTO
FACTO
FACTO
FACTO
FACTO
FACTO
FACTO
FACTO
FACTO
FACTO
FACTO
FACTO
FACTO
FACTO

활동지 4
12 19 26 30

5
5
6
6
9
9

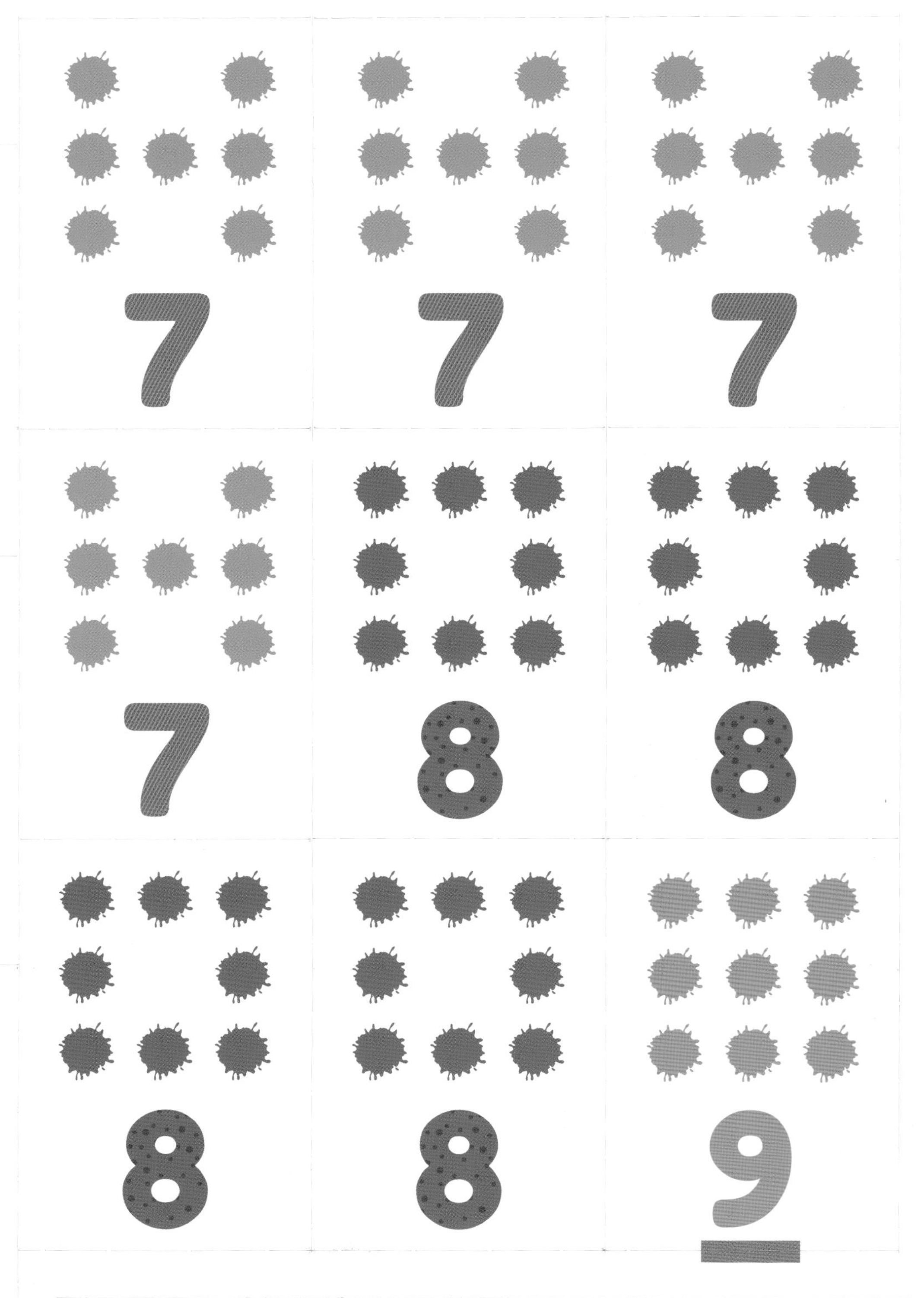
7
7
7
7
8
8
8
8
9

FACTO

FACTO
FACTO
FACTO
FACTO
FACTO
FACTO
FACTO
FACTO
FACTO
FACTO
FACTO
FACTO
FACTO
FACTO
FACTO
FACTO
FACTO

활동지 3
12
19
26
30

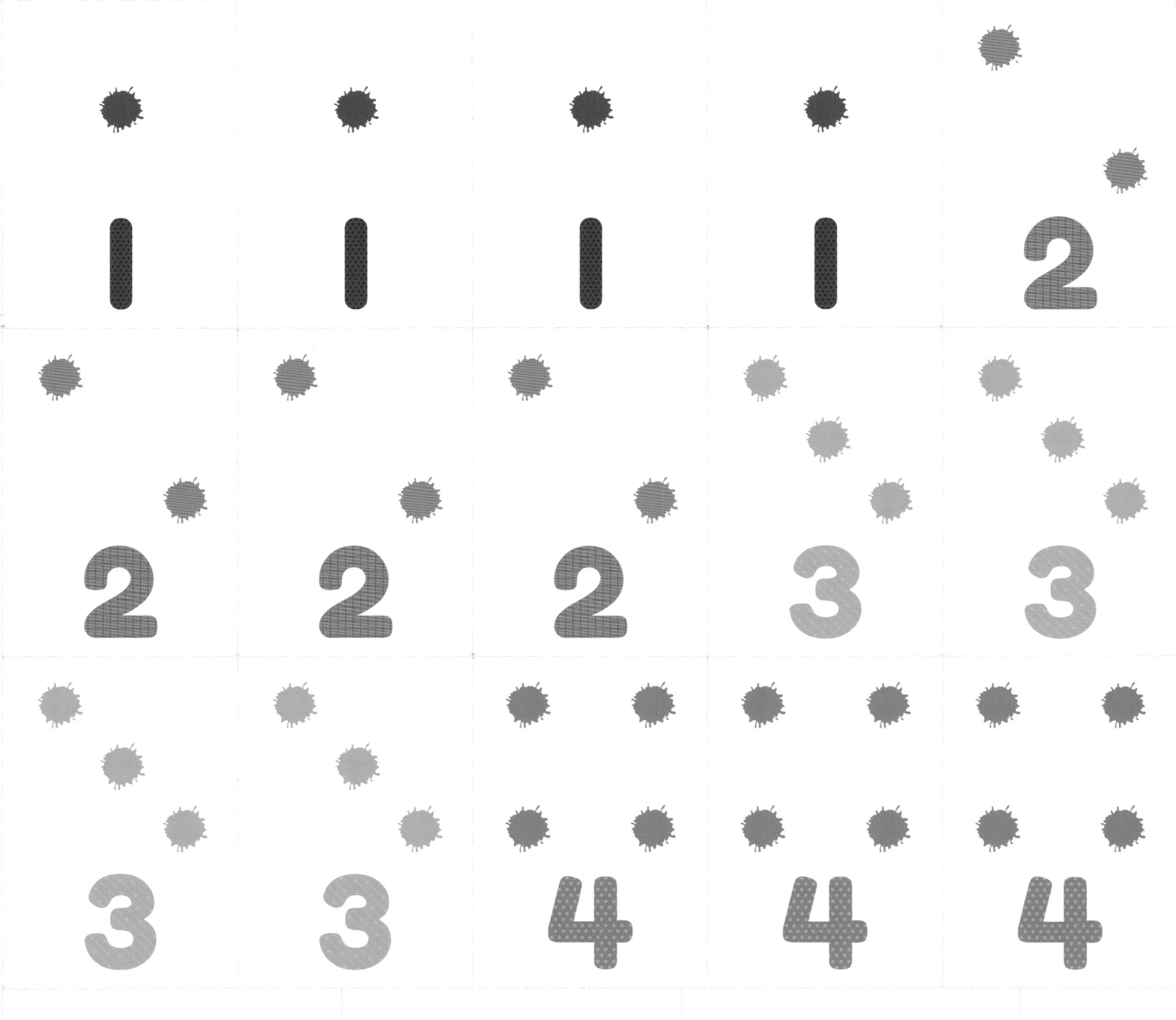

1
1
1
1
2
2
2
2
3
3
3
3
4
4
4

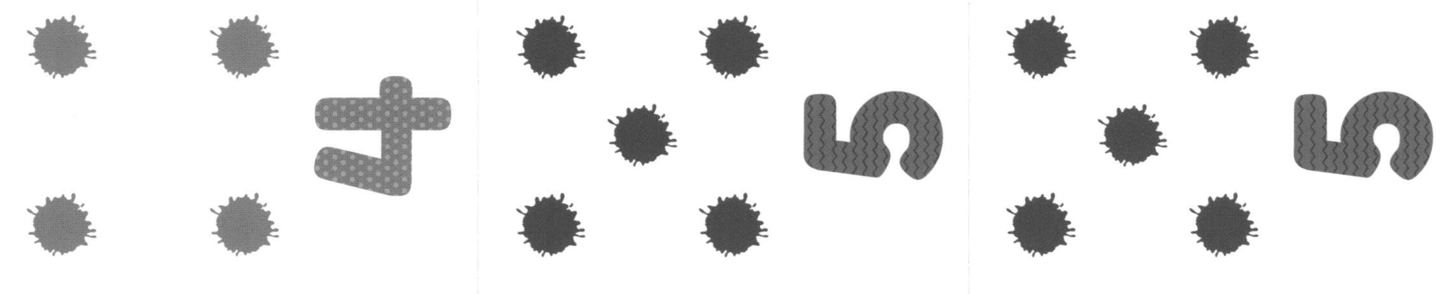

4
5
5

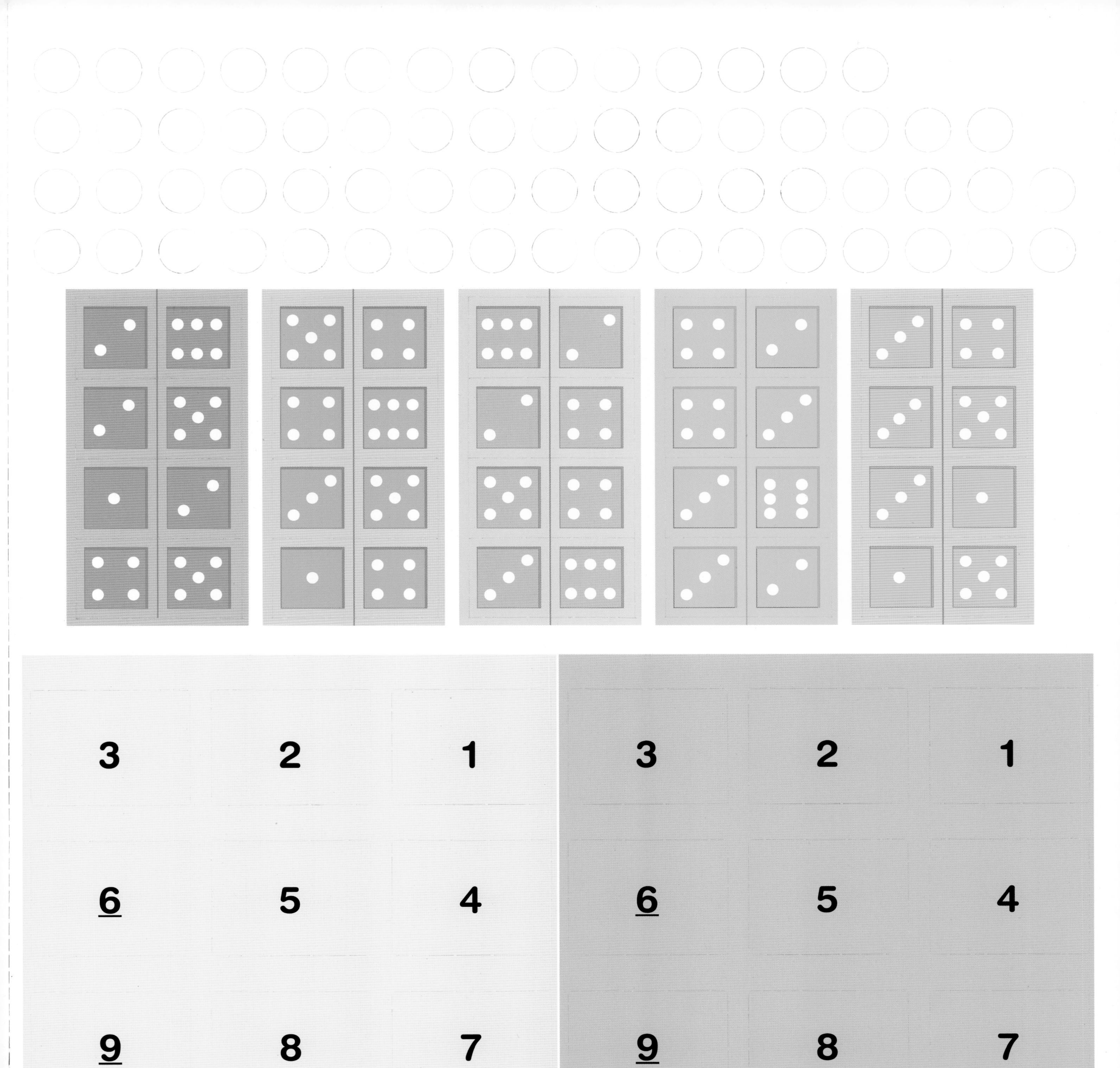
3
2
1
6
5
4
9
8
7
3
2
1
6
5
4
9
8
7

10

11

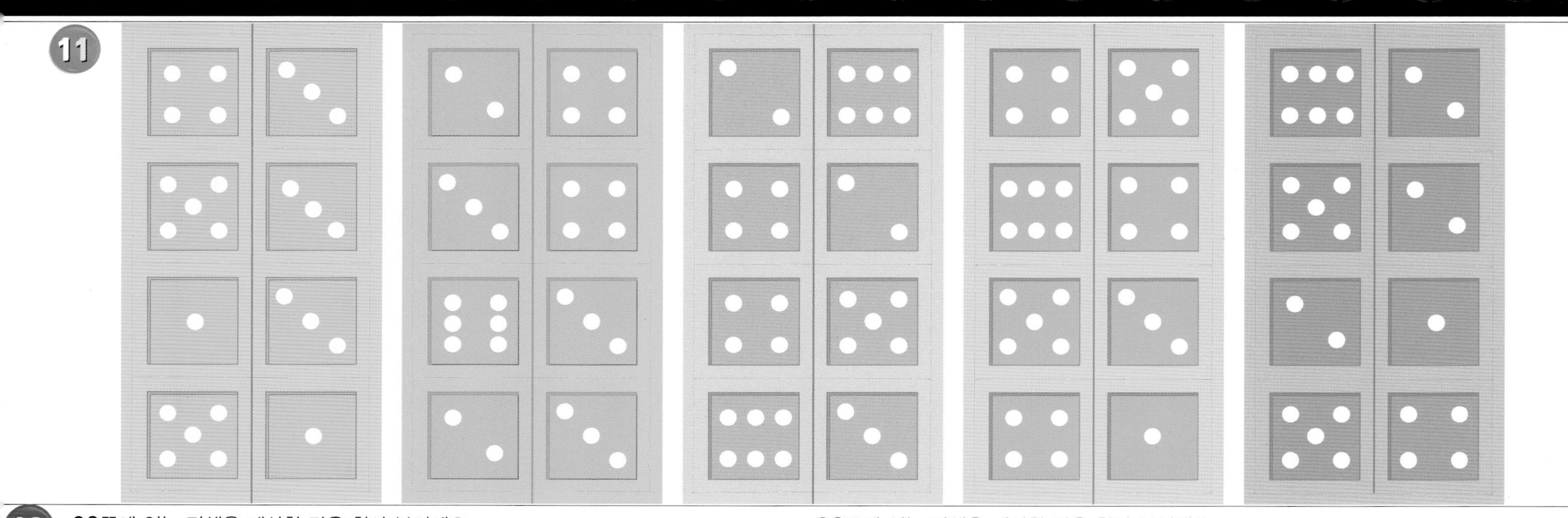

18

*38쪽에 있는 덧셈을 계산한 값을 찾아 붙이세요.

*39쪽에 있는 덧셈을 계산한 값을 찾아 붙이세요.

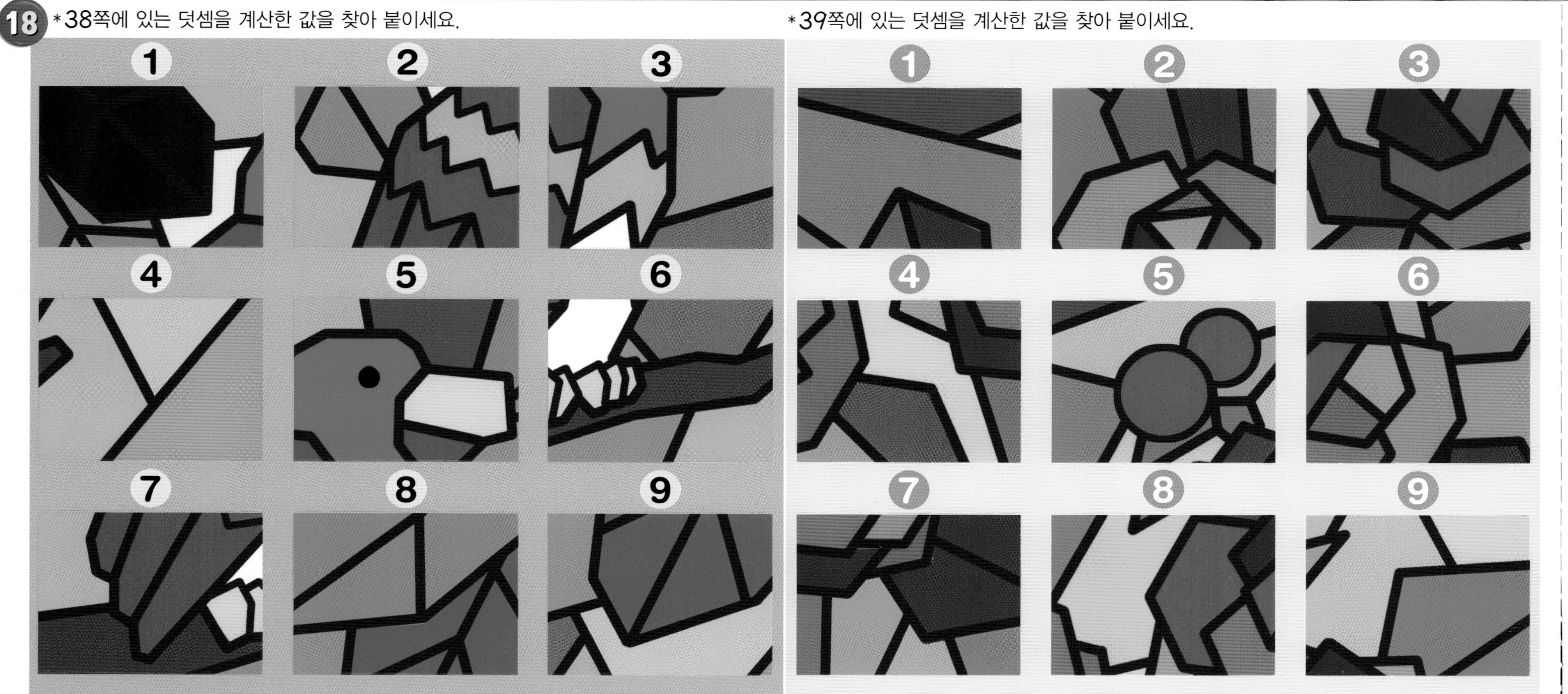

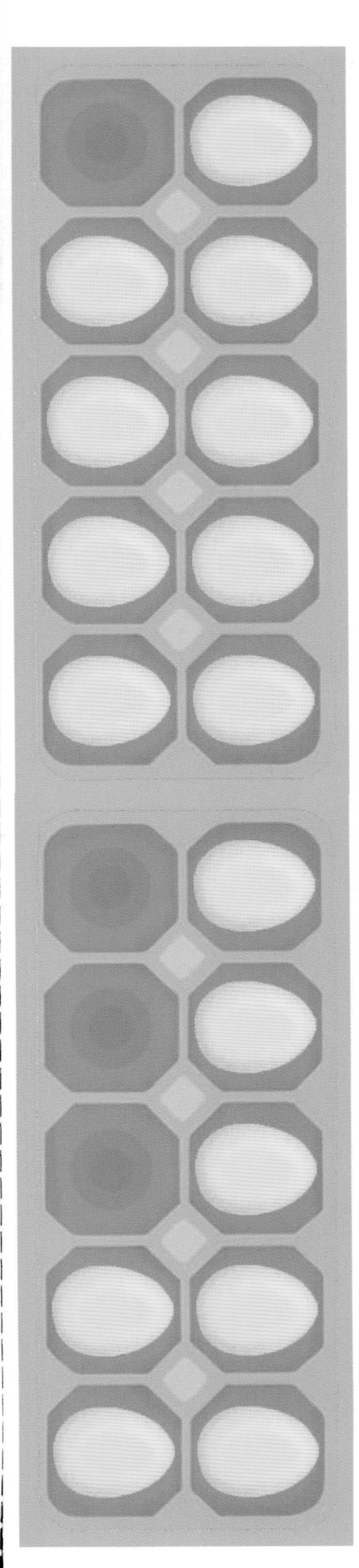

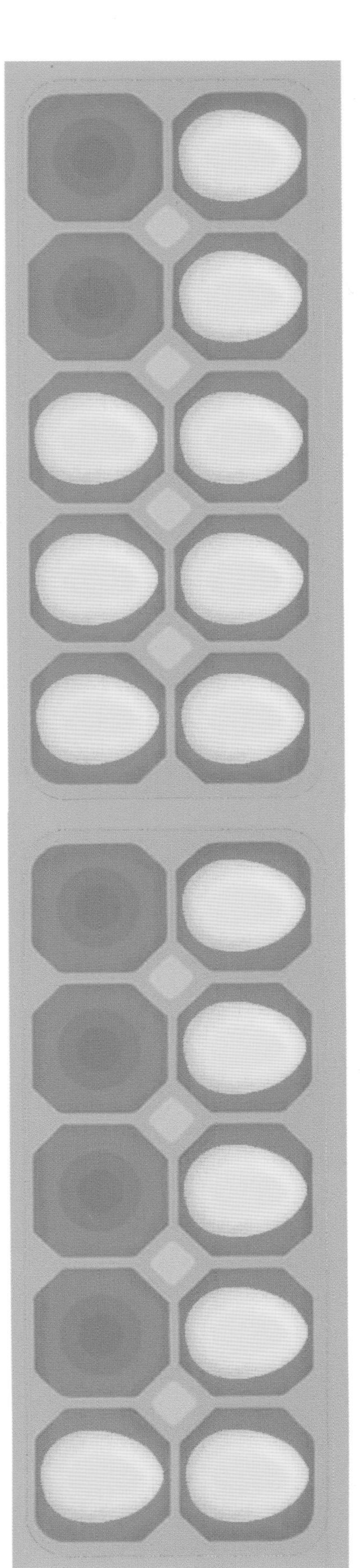

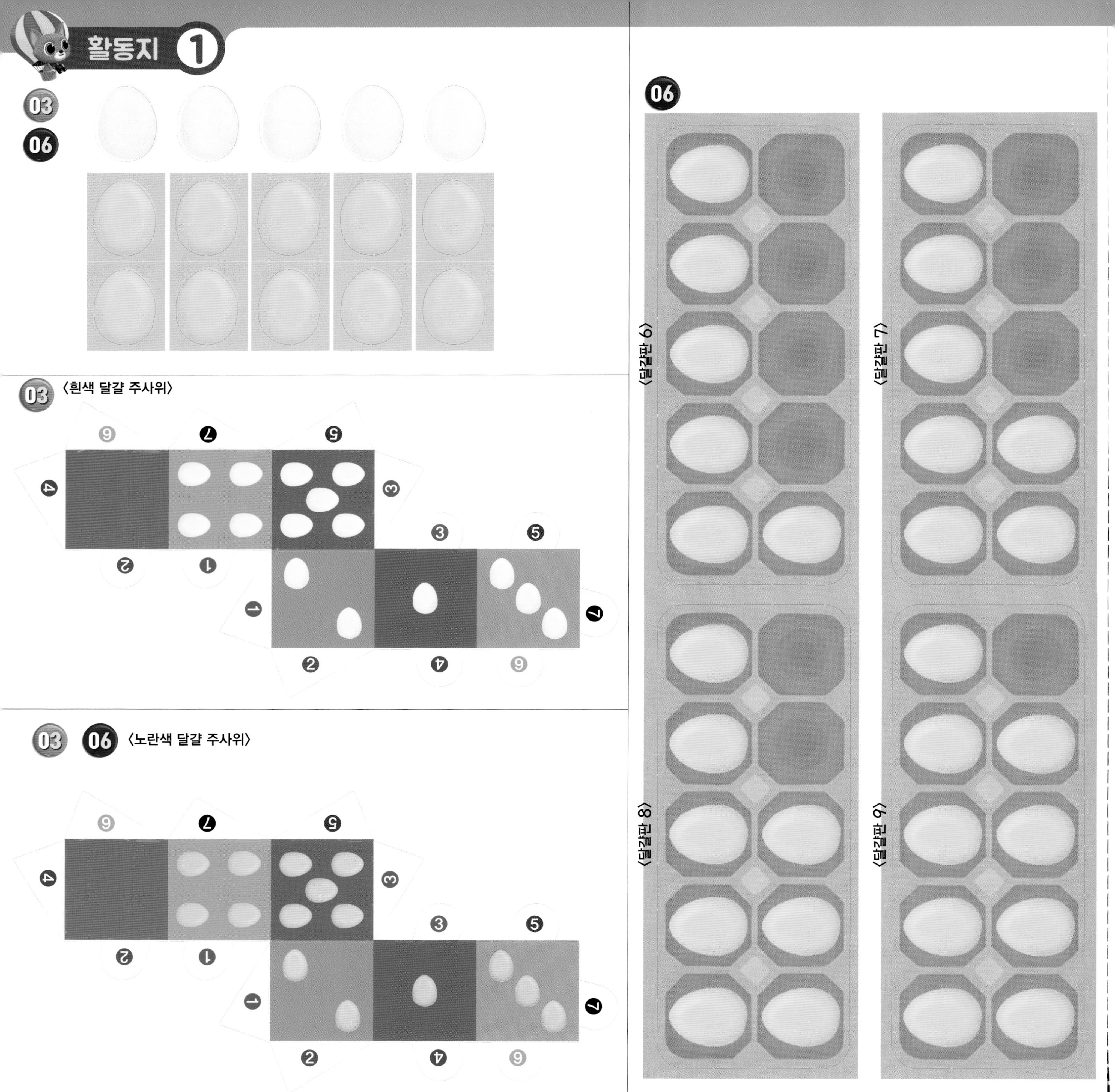
활동지 1
03
06
03 〈흰색 달걀 주사위〉
03 06 〈노란색 달걀 주사위〉
06
〈달걀판 6〉
〈달걀판 7〉
〈달걀판 8〉
〈달걀판 9〉

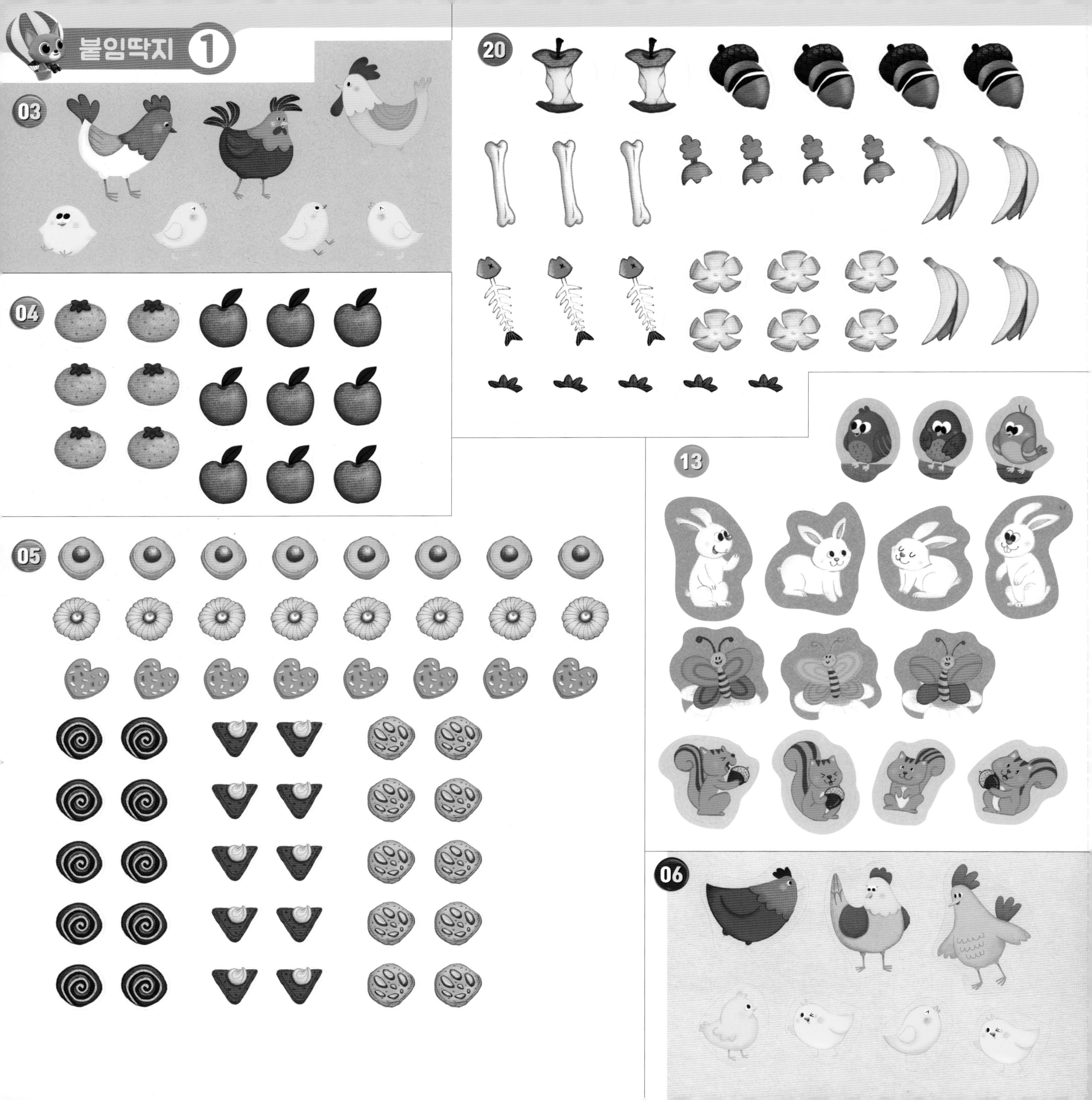
붙임딱지 1
03
20
04
13
05
06